商品住宅建筑质量评价实务

主　编　田新志

副主编　张洪民　李加夫

　　　　赵冬花　严晓新

主　审　杨文福

黄河水利出版社

内 容 提 要

为了在开发商与消费者之间建立一种对住宅进行客观、公正评价认定的制度，本书对住宅的结构形式、可靠度、安全性能、使用功能、防火性能、有效面积、配套设施、节能效果、空气质量、地理位置、环境条件、物业配置、人文资源等十几个方面分别阐述了测试和评价方法，并制定出评判标准，分别给予评价；再根据各项目的重要性，进行加权分析，最终制定出一套住宅建筑质量评价系统。

本书可供从事商品住宅性能检测与评价工作的相关人员阅读。

图书在版编目(CIP)数据

商品住宅建筑质量评价实务 / 田新志主编. —郑州：
黄河水利出版社，2006.8
ISBN 7–80734–107–6

Ⅰ.商… Ⅱ.田… Ⅲ.住宅—工程质量—评价 Ⅳ.TU712

中国版本图书馆 CIP 数据核字(2006)第 092006 号

策划组稿： 余甫坤 E-mail：yfk@yrcp.com 13838025539

出 版 社：黄河水利出版社
　　　　　地址：河南省郑州市金水路 11 号　　邮政编码：450003
发行单位：黄河水利出版社
　　　　　发行部电话：0371-66022940　　传真：0371-66022620
　　　　　E-mail：hhslcbs@126.com
承印单位：黄河水利委员会印刷厂
开本：787 mm × 1 092 mm　1 / 16
印张：9
字数：208 千字　　　　　　　　　印数：1—3 000
版次：2006 年 8 月第 1 版　　　　印次：2006 年 8 月第 1 次印刷

书号：ISBN 7- 80734 –107 – 6 / TU · 70　　　　定价：20.00 元

《商品住宅建筑质量评价实务》
编 委 会

前　言

商品住宅性能认定指按照国家发布的商品住宅性能评定方法和统一的认定程序，经过专业的评价机构对商品住宅综合质量进行评审和确定，授予相应级别证书和认定标志。

近年来，商品住宅建筑性能越来越受到人们的关注，然而如何对商品住宅性能进行合理评价却始终是困扰建筑业的难题。

自1999年，我国建设部开始试行性能认证制度，这是在开发商与消费者之间建立的一种对住宅进行客观、公正评价认定的制度。

尽管住宅性能认定得到了相关专家的好评，但是由于我国幅员辽阔，各地差异大，该性能认定制度适应性有限，可操作性差。因此，建立一个可操作性强的住宅质量评价系统已十分必要。作者旨在开发一个结合实际、可操作性强的评价系统，客观评价建筑质量，以及推动商品住宅性能认定工作做出贡献。

本书对住宅的结构形式、可靠度、安全性能、使用功能、防火性能、有效面积、配套设施、节能效果、空气质量、地理位置、环境条件、物业配置、人文资源等十几个方面分别阐述了测试和评价方法，并制定出评判标准，分别给予评价；再根据各项目的重要性，进行加权分析，最终制定出一套住宅建筑质量评价系统。用户只要把所需的项目参数输入，该系统即可在综合加权分析后评判出住宅建筑质量的等级。

在本书编写过程中，我们走访了数十家有影响力的房地产开发公司，同开发商及业主广泛交换意见，同时咨询了多位专家，得到了他们的鼎力支持。在此一一表示感谢。

由于调查的局限性和编者水平有限，本书难免有不妥之处，敬请读者指正。

作　者

2006年3月

目 录

绪　论

人居环境问题正日益得到世界上各国政府和人民的重视。1993 年一些知名的专家提出了在我国建立人居环境的倡议，这一倡议得到了广泛的认可；同时，在这一过程中，人居环境学科的重要意义被日益证实，人居环境研究工作又进入了新的广度和迈向更高的目标，因此我们说这是一个前瞻性的建议和倡议。

1993 年我国城镇建设面积刚刚超过 2 亿 m^2，人均居住面积只有 6 m^2。当时的当务之急是千方百计加快住宅建设，来解决住宅严重短缺的问题。在这种情况下，提出研究人居环境的问题是具有超前性质的，也是很有远见的。

进入 21 世纪以后，我国城镇每年建设住宅面积达 6.8 亿 m^2，比 1993 年增加了 3 倍多，人均住宅面积已经超过了 11 m^2。现在已经走过了住房严重短缺的阶段，但由于人们生活水平的提高，广大居民提出了更高水平的居住要求。所以，提出改善人居环境，也是向社会提出新的、更高的要求。

因此，在这种新的形势下，深入研究人居环境问题，并把研究成果落实到改善人居环境的实践中，从而满足广大居民对改善人居环境愿望的需要，具有重大意义。

党的十一届三中全会以来，我国的国内生产总值平均每年增长 9%，国民经济取得了持续快速健康发展。党的"十六大"提出了全面建设小康社会的更高目标，要求到 2020 年我国国内生产总值比 2000 年翻两番。这就是说，国内生产总值每年平均增长要保持在 7%以上。这是一个国民经济更长时期内可持续发展的国内规划。

众所周知，改善人居环境是社会经济可持续发展的重要保证。从这意义上来说，研究改善人居环境的问题也是我国社会经济可持续发展和实现全面建设小康社会合理规划的需要。人居环境研究是一项复杂的系统工程，也是一项艰巨的任务，任重而道远，因而对商品住宅建筑性能进行综合认定评价就成了保证人居环境质量和落实可持续发展战略的保证措施。这里所说的商品住宅性能认定是指按照国家发布的商品住宅性能评定方法和统一的认定程序，经过专业评价机构对商品住宅的综合质量进行评审和确定，并授予相应级别证书和认定标志。住宅的综合质量即将工程质量、功能质量和环境质量等诸多因素从适用性、安全性、耐久性、环境性和经济性等方面进行具体量化，性能认定标志则表明住宅性能品质优良的程度。

开展住宅性能认定工作首先是为了提高住宅品质和人民的居住质量。改革开放以来，大规模的住宅建设取得了巨大成就，从总体上看，我们基本上告别了住房严重短缺时代。特别是实行新的城镇住房制度以后，住宅将逐渐成为新的消费热点，城镇居民的住房需求已经由单纯的数量需求进入到数量和质量同时并重阶段，并逐渐呈现质量型的需求特征，人们对住宅的工程质量、功能质量、环境质量和管理服务质量提出了更高的要求。性能认定制度正是体现了这个要求。性能认定对住宅的功能品质、环境品质有了定性和定量的规定，把提高人民的居住质量落实到了居住建筑的每一条指标上。性能认定可以使住宅更好地满足人们现代居住生活行为及现代居住生理的要求，建筑更为安全、耐久，提高了室内、室外的物理和生理环境质量，同时要求建筑的建造成本和日常使用成本更加经济合理。性能认定还要求住宅能够满足人们的心理要求，使住宅成为人们能够舒适地起居、学习、休息的场所，让每个家庭都能有一个高质量的生活空间。在性能认定的要求中还包括了坚持可持续发展战略，贯彻节约用地、节约能源的方针。

其次，开展性能认定工作是为了完善住房市场供应体系，促进房地产业健康发展。随着我国逐步建立社会主义市场经济体制和城镇住房新制度，根据"国务院关于进一步深化城镇住房制度改革，加快住房建设的通知"(国发[1998]23号文)的精神，自1998年下半年开始停止住房实物分配，逐步实行住房分配货币化，同时建立和完善以经济适用住房为主的住房供应体系，对不同收入的家庭实行不同的住房供应政策，以稳步推进城镇住房的商品化和社会化。这就要求房地产开发企业开发建设多样化的、不同风格的、不同档次的住宅，以满足不同收入的城镇居民对住宅性能及其功能质量的不同的需求。性能认定将住宅划分为3级，可以使不同收入的消费者都可以买到有品质保证的放心房，开发企业也可以依此建设适应市场的档次不同的住宅。住宅的建设成本高、使用周期长，并且选用建筑材料和构件众多，生产建造过程也非常复杂。对于绝大多数消费者来说，只凭住宅外观和外部环境的感性认识很难看出房屋品质的优劣。开展住宅性能认定制度，可以由公正的第三方对房地产开发企业开发建设的商品住宅的性能进行评估、认定，可以充分维护住宅消费者的利益。对于住宅开发商来说，如果开发了优质的住宅但是没有第三方来评价、认可，仅靠开发公司自己的宣传很难取得消费者的信任。性能认定就是在开发商与消费者之间建立一种对住宅进行客观、公正的评价认定制度。因此，在我国建立商品住宅性能认定制度为建立和完善多层次城镇住房供应体系创造了条件，同时对保护消费者权益、规范房地产市场，统一标准，科学理性地建设商品住宅，促进房地产市场的健康发展将发挥重要的作用。

再次，开展性能认定工作是为了促进住宅产业的现代化和加速推进住宅产业化，要建立和完善促进住宅产业化发展的各项制度，形成基本完善的住宅产业政策体系。商品住宅性能认定制度构成了住宅产业政策的一个部分，这也是《建设事业"十五"计划纲要》中明确提出的要"建立起住宅技术保障、住宅建筑、住宅部品、质量控制和性能认定等五大体系"工作中的一个重要体系。建立了性能认定体系，推行性能认定制度，也使我国与发达国家相比在住宅的技术政策上弥补了不足、缩短了差距。推广性能认定、提高住宅的品质可以优化住宅产业的每个环节。住宅产业是一个跨越第二、第三产业的产业链，它是以商品住宅作为最终产品，并且按照住宅的建造和使用过程，前后延伸并幅射带动相关产业而形成的产业链，涉及住宅规划、设计、施工、维护管理及住宅部品的开发、生产、供应等多方面的系统工程。提高住宅的品质就需要提高住宅的规划、设计水平，积极开发和推广新材料、新技术、新工艺、新设备，逐步形成系列化开发、规模化生产、商品化供应、社会化服务的生产及供求体系，实现住宅建设的标准化、工业化和集约化。因此，推行性能认定制度可以推动我国住宅建设整体水平的提高，促进住宅技术进步，加快住宅建设从粗放型向集约型转变，加快住宅产业现代化的进程。

自 1998 年下半年我国开始停止住房实物分配，逐步实行了住房分配货币化。住宅建筑进入流通领域，使建筑业这个国民经济的支柱产业重新焕发了青春。同时，房地产业的迅速发展，又带动了建筑材料的生产、流通和劳务等相关产业的发展。特别是建筑业作为劳动密集型产业，它的大力发展对缓解我国日益严峻的就业压力有着不可估量的作用。

为了适应形势的发展，就需要建立和完善一个以经济适用住房和商品住宅为主的住房供应体系，对不同收入的家庭实行不同的住房供应政策，以稳步推进城镇住房的商品化和社会化。同时，也要求房地产开发企业开发建设多样化、不同风格、不同档次的住宅，以满足不同收入的城镇居民对住宅性能及其功能质量的不同需求。

由于住宅的建设成本高、使用周期长，并且选用建筑材料、构件众多，生产建造过程也非常复杂，对于绝大多数消费者来说，只凭住宅外观和外部环境的感性认识很难看出房屋品质的优劣。据不完全统计，全国关于住宅建筑质量问题的纠纷，2002 年法院受理的案件有就 5 万起之多，并有逐年上升之势。买卖双方激烈冲突，纠纷阴影挥之不去，不但在经济上造成了巨大浪费，而且还直接阻碍了房地产业的发展，同时也对相关产业的发展影响甚大。但是，如果能建立一个操作性强的住宅质量评价专家系统，由公正的第三方对房地产开发企业开发建设的商品住宅的性能进行评估、认定，这样就可以充分维护住宅消费者的利益。

目前，世界不少国家都在开展住宅性能认定，其中做得最好的是日本，日本建设省在 20 世纪 70 年代开始推行工业住宅性能认定制度，颁布了《工业化住宅性能认定规程》和《工业化住宅性能认定技术基准》，作为进行评审和认定的依据。自 1999 年，我国建设部开始试行住宅性能认定制度，这是在开发商与消费者之间建立的一种对住宅进行客观、公正评价、认定的制度。

尽管住宅性能的认定得到了相关专家的好评，但是由于我国幅员辽阔，各地有相当大的差异，涉及项目较多，可操作性较差。目前，全国仅有少数小区参加了住宅性能认定，而且遭遇"非典"后又不得不让我们重新审视住宅的性能评价了。所以，建立一个操作性强又具新时期特性的住宅质量评价专家系统是非常必要的。

本书旨在研究开发一种结合实际、可操作性强的专家评估系统，客观评价住宅建筑的质量，为推动商品住宅性能认定工作做出贡献。

本书对住宅的结构形式、可靠度、安全性能、使用功能、防火性能、有效面积、配套设施、节能效果、空气质量、地理位置、环境条件、物业配置、人文资源等十几个方面分别研究其测试和评价方法，并制定出一套住宅建筑质量评价的专家系统。用户只要把所需的项目参数输入，该系统即可在综合加权分析后评判出住宅建筑质量的等级。

住宅建筑等级评定方法与结果评定分别见表 0-1、表 0-2。

为检验本评价系统的可行性、公正性和实际社会效果，我们组织了有关专家、开发商和部分业主，按照本书的评价方法，采取审查工程建设中有效检测报告，以减少检测程序的办法，对本地两个较好的小区进行了测试评价，评价结果达到了预期效果。专家认为该评价方法有较好的可操作性，开发商和业主认为该方法简单、切合实际，但同时也提出了一些细节的修改意见，本书在编辑中已经采纳。

表 0-1　住宅建筑等级评定方法

评价项目	实际打分	加权系数	计分	说明
结构安全		0.60		
使用功能		0.05		
建筑节能		0.04		
安全性能		0.04		
配套设施		0.04		
物业管理		0.04		
人文资源		0.03		
区域环境		0.03		
空气质量		0.03		
防火性能		0.04		
地理位置		0.03		
建筑装饰		0.03		
总　　分	120	1.00		

表 0-2　结果评定

结果总分	质量等级
120～100	★★★
99～80	★★
79～60	★

　　使用本评价办法对商品住宅性能认定时应符合建设部颁发的《商品住宅性能认定管理办法(试行)》(见本书附件)的规定。

第一章　住宅建筑安全性检测与评价

一、评价的目的和意义

近年来，随着我国经济的不断发展，居民对住房的要求越来越高，房地产市场出现了多年来未有的红火现象，各房地产开发公司开发了一大批住宅，满足了群众的购房需求，这在很大程度上满足了人们改善居住条件、提高生活质量的需要。然而，各开发商开发的楼盘设计、建造水平参差不齐。有些住宅楼在设计上本身就有天生缺陷，如结构选型、传力路线设计不当等，使得房子本身存在安全性隐患；也有一些住宅楼虽然设计上十分合理，没有大的不足，但在建设时质量把关不严，导致建成的楼房达不到其应有的安全性能。而对于居民而言，所购买的住宅的安全性是最重要的，其他功能性的要求倒是其次。消费者有此要求，开发商当然心知肚明，在宣传时开发商往往把其销售的建筑产品安全性作为他们的卖点，大肆宣传，甚至于不着边际，夸大其所售产品实有的安全性能。比如说某公司宣称某某楼为框架结构，墙体可以打掉，空间可以随意分隔，而实际情况是其所说的楼房为混合结构，有一部分承重墙不可以打掉；而有的公司宣传其建筑产品按照七度抗震等级设防，以示其建筑安全性能比其他建筑优越，而实际情况是该地区同类建筑都必须按照七度抗震设防。至于房屋的实际安全性能到底如何，或许开发商自己也不知道，他们也没有资格随意评说。

开发商的随意宣传，使消费者急于知道真实情况，但是普通消费者又处于劣势地位，由于他们受知识、精力、能力所限，他们不能够仅凭自己的感官对所要购买的房屋的安全性能做一个比较客观正确的评价，以指导自己的购房行为。因此，对住宅建筑安全性能的检测与评价进行研究，确定一套切实可行的住宅安全性能检测评价方法，然后推广施行，进而可以成立一个中介性的评价机构，专门对住宅建筑的安全性能进行专业的评价，这对服务广大消费者、提高建筑物的总体质量都有重要的意义。

二、国内外现状

目前，国内外对建筑物安全性能检测评价的研究已经趋于成熟，已经形成较为完善的检测评价体系。既有对建筑构件安全性评定的标准，如混凝土结构构件安全性鉴定评级标准、砌体结构安全性评定标准；也有对整个大的项目的安全性评价标准，如地基基础的安全性评级标准、上部承重结构安全性评级标准、围护结构的安全性评级标准等，当然，也有对整栋建筑物安全性进行评定的标准。

目前，我国建设部已经出台强制性国家标准，编号为 GB50292—1999，已经于 1999 年 10 月 1 日起施行。本文所叙及的安全性评定标准即为在参照国家标准《民用建筑可靠性鉴定标准》的基础上制定的适合于住宅建筑的安全性鉴定的标准。

三、安全性能检测与评定

(一)构件安全性的鉴定评级

1. 评级一般规定

单个构件安全性鉴定评级,应根据构件的不同种类进行安全评级。

当验算被鉴定结构或构件的承载能力时,应遵守下列规定:

(1)结构构件验算采用的结构分析方法,应符合国家现行设计规范的规定。

(2)结构构件验算使用的计算模型,应符合其实际受力与构造状况。

(3)结构上的作用应按调查或检测核实。

(4)结构构件效应的确定,应符合下列要求:①作用的组合、作用的分项系数及组合值系数,应按现行国家标准《建筑结构荷载规范》(GB50009—2001)的规定执行;②当结构受到温度、变形等作用,且对其承载有明显影响时,应计入由之产生的附加内力。

(5)构件材料强度的标准值应根据结构的实际状态确定。

(6)结构或构件的几何参数应根据实测值,并应计入锈蚀、腐蚀、风化、局部缺陷或缺损以及施工偏差等的影响。

结构构件安全性鉴定采用的检测数据,应符合下列要求:

(1)检测方法应按国家现行有关标准采用。当需要采用不止一种检测方法同时进行测试时,应事先约定综合确定检测值的规则,不得事后随意处理。

(2)检测应按本标准划分的构件单位进行,并应有取样、布点方面的详细说明。测点较多时,应绘制测点分布图。

(3)当怀疑检测数据有异常时,其判断和处理应符合国家有关标准的规定,不得随意舍弃数据。

2. 混凝土结构构件安全性鉴定

1)混凝土结构构件承载能力评定

依照表 1-1 的规定进行评定,分别评定每一验算项目的等级,然后取其中最低级作为该构件承载能力的安全性等级。

表 1-1　混凝土结构构件承载能力等级的评定

构件类别	$R/(\gamma_0 S)$			
	a_u	b_u	c_u	d_u
主要构件	≥1.0	≥0.95 且 <1	≥0.90 且 <0.95	<0.90
次要构件	≥1.0	≥0.90 且 <1	≥0.85 且 <0.90	<0.85

注:(1)标准 R 和 S 分别为结构的抗力和作用效应,按前有关规定确定;γ_0 为结构重要性系数,应按验算所依据的国家现行设计规范选择安全等级,并确定本系数的取值。

　　(2)结构倾覆、滑移、疲劳、脆断的验算,应按照国家现行有关规范的规定。

2)混凝土结构构件安全性能按构造评定

依照表 1-2 的规定进行评定,分别评定两个检查项目的等级,然后取其中较低一级作为该构件的安全性等级。

表 1-2　混凝土结构构件构造等级的评定

检查项目	a$_u$ 级或 b$_u$ 级	c$_u$ 级或 d$_u$ 级
连接(或节点)构造	连接方式正确,构造符合国家现行规范要求,无缺陷或仅有局部的表面缺陷,工作无异常	连接方式不当,构造有严重缺陷,已导致焊缝或螺栓等发生明显的变形、滑移、局部拉脱、剪切或裂缝
受力预埋件	构造合理,受力可靠,无变形、滑移、松动或其他损坏	构造有严重的缺陷,已导致预埋件发生明显的变形、滑移、松动或其他损坏

注:(1)评定结果取 a$_u$ 级或 b$_u$ 级,可根据其实际完好程度确定;评定结果取 c$_u$ 级或 d$_u$ 级,可根据其实际严重程度确定。
  (2)构件支承长度的检查结果不参加评定,但若有问题,应在鉴定报告中说明,并提出处理建议。
  (3)当住宅建筑混凝土结构构件的安全性按不适于继续承载的位移或变形评定时按以下规定。

受弯构件的挠度或施工偏差造成的侧向弯曲应按表 1-3 的规定评级。

表 1-3　混凝土受弯构件不适于继续承载的变形的评定

检查项目	构件类别		c$_u$ 级或 d$_u$ 级
挠度	主要受弯构件——主梁或托梁等		$>L_0/250$
	一般受弯构件	$L_0 \leqslant 9$ m	$>L_0/150$ 或大于 45 mm
		$L_0 > 9$ m	$>L_0/200$
侧向弯曲的矢高	预制屋面梁、桁架或深梁		$>L_0/500$

注:(1)表中 L_0 为计算跨度。
  (2)评定结果取 c$_u$ 级或 d$_u$ 级,可根据严重程度确定。

当混凝土构件出现不适于继续承载的裂缝时的安全性评价应按表 1-4 依据其实际严重程度定为 c$_u$ 级或 d$_u$ 级。

表 1-4　混凝土构件不适于继续承载的裂缝宽度的评定

检查项目	环境	构件类别		c$_u$ 级或 d$_u$ 级
受力主筋处的弯曲(含一般剪弯)裂缝和轴拉裂缝宽度(mm)	正常湿度环境	钢筋混凝土	主要构件	>0.50
			一般构件	>0.70
		预应力混凝土	主要构件	$>0.20(0.30)$
			一般构件	$>0.30(0.50)$
	高湿度环境	钢筋混凝土	任何构件	>0.40
		预应力混凝土		$>0.10(0.20)$
剪切裂缝(mm)	任何湿度环境	钢筋混凝土或预应力混凝土		出现裂缝

注:(1)表中的剪切裂缝是指斜拉裂缝,以及集中靠近支座处出现的或深梁中出现的斜压裂缝。
  (2)高湿度环境是指露天环境、开敞式房屋易遭飘雨部位、经常受蒸汽或冷凝气作用的场所(如厨房、浴室、寒冷地区不保暖屋盖)以及与土壤直接接触的部件等。
  (3)表中括号内限值适用于冷拉 II 、III 、IV 级钢筋的预应力混凝土构件。
  (4)对板的裂缝宽度以表面量测为准。

当混凝土结构构件出现下列情况之一时，不论其裂缝宽度大小，应直接定为 d_u 级：

(1)受压区混凝土有压坏迹象。

(2)因主筋锈蚀导致构件掉角以及混凝土保护层严重脱落。

混凝土结构构件的安全性鉴定，应按承载能力、构造以及不适于继续承载的位移(或变形)和裂缝等 4 个检查项目，分别评定每一构件的等级，并取其中最低一级作为安全性等级。

3. 砌体结构构件安全性能鉴定

1)砌体结构构件安全性按承载能力评定

应按表 1-5 的规定，分别评定每一项目的等级，然后取其中最低一级作为该构件承载能力的安全性等级。

表 1-5　砌体结构构件承载能力等级的评定

构件类别	评定标准			
	$R/(\gamma_0 S)$			
	a_u	b_u	c_u	d_u
主要构件	≥1.0	≥0.95	≥0.90	<0.90
一般构件	≥1.0	≥0.90	≥0.85	<0.85

注：(1)表中 R 和 S 分别为结构的抗力和作用效应，按前有关规定确定；γ_0 为结构重要性系数，应按验算所依据的国家现行设计规范选择安全等级，并确定该系数的取值。

(2)结构倾覆，应按照国家现行有关规范的规定。

(3)当材料的最低强度等级不符合现行国家标准《砌体结构设计规范》(GB50003—2001)的要求时，即使验算结果高于 c_u 级，也应定为 c_u 级。

2)砌体结构构件安全性按构造评定

按表 1-6 规定，分别评定两个检查项目的等级，然后取其中较低一级作为该构件构造的安全性等级。

表 1-6　砌体结构构件构造的安全性评定

检查项目	a_u 级或 b_u 级	c_u 级或 d_u 级
墙柱的高厚比	符合或基本符合国家现行设计规范的要求	不符合国家现行设计规范的要求达到限值的 10%
连接及其他构造	连接及砌筑方式正确，构造符合国家现行设计规范要求，无缺陷或仅有局部表面缺陷，工作无异常	连接或砌筑方式不当，构造有严重缺陷(包括施工遗留缺陷)，已导致构件或连接部位开裂、变形、位移或松动，或已造成其他损坏

注：(1)评定结果取 a_u 级或 b_u 级，可根据其实际完好程度确定；评定结果取 c_u 级或 d_u 级，可根据其实际严重程度确定。

(2)构件支承长度的检查结果不参加评定，但若有问题，应在鉴定报告中说明，并提出处理建议。

3)结构出现不适于继续承载的裂缝时的评定

砌体结构承重构件出现下列受力裂缝时，应视为不适于继续承载的裂缝，并应根据

其严重程度评为 c_u 级或 d_u 级：

(1)主梁支座下的墙、柱的端部或中部出现沿块材材料断裂的竖向裂缝。

(2)空旷房屋承重外墙的变截面处出现水平裂缝或斜向裂缝。

(3)砌体过梁的跨中或支座出现裂缝；或虽未出现肉眼可见的裂缝，但发现其跨度范围内有集中荷载。

(4)其他明显的受压、受拉或受剪裂缝。

当砌体结构、构件出现下列非受力裂缝时，也视为不适于继续承载的裂缝，并应根据其实际严重程度评为 c_u 级或 d_u 级：

(1)纵横墙连接处出现通长的竖向裂缝。

(2)墙身裂缝严重，且最大裂缝宽度已大于 5 mm。

(3)柱已出现宽度大于 1.5 mm 的裂缝，或有断裂、错位迹象。

(4)其他显著影响结构整体性的裂缝。

当砌体结构构件安全性有不适于继续承载的位移或变形时，应遵守相关规定评级。

砌体结构构件的安全性鉴定，应按承载能力、构造以及不适于继续承载的位移和裂缝等 4 个检查项目，分别评定每一受力构件等级，并取其中最低一级作为该构件的安全性等级。

(二)子单元安全性鉴定分级

1．地基基础安全性鉴定分级

地基基础(子单元)的安全性鉴定，包括地基、桩基和斜坡 3 个检查项目，以及基础和桩两种主要构件。

1)一般鉴定原则

(1)一般情况下，宜根据地基、桩基沉降观测资料或其不均匀沉降在上部结构中的反应的检查结果进行鉴定评级。

(2)当现场条件适宜于按地基、承载力进行鉴定评级时，可根据沿途工程勘察档案和有关监测资料的完整程度，适当增加勘探点，进一步查明土层分布情况，并采用原位测试和取原状做室内物理力学性质试验方法进行地基检验，根据以上资料并结合当地工程经验对地基、桩基的承载力进行综合评价。

若现场条件许可，尚可通过在基础(或承台)下进行载荷试验以确定地基(或桩基)的承载力。

(3)当发现地基受力层范围内有软弱下卧层时，应对软弱下卧层地基承载能力进行验算。

(4)对建造在斜坡上或毗邻深基坑的建筑物，应验算地基稳定性。

2)具体鉴定标准

(1)当地基(或桩基)的安全性按地基变形(建筑物沉降)观测资料或其上部结构反应的检查结果评定时，应按下列规定评级。

A_u 级：不均匀沉降小于现行国家标准《建筑地基基础设计规范》(GB50007—2002)规定的允许沉降差；或建筑物沉降裂缝、变形或位移。

B_u 级：不均匀沉降不大于现行国家标准《建筑地基基础设计规范》(GB50007—2002)

规定的允许沉降差，且连续两个月地基沉降速度小于每月 2 mm；或建筑物上部结构砌体部分虽有轻微裂缝，但无发展迹象。

C_u 级：不均匀沉降大于现行国家标准《建筑地基基础设计规范》(GB50007—2002)规定的允许沉降差，或连续两个月地基沉降速度大于每月 2 mm；或建筑物上部结构砌体部分出现宽度大于 5 mm 的沉降裂缝，预制构件之间的连接部分出现宽度大于 1 mm 的沉降裂缝，且沉降裂缝短期内无终止趋势。

D_u 级：不均匀沉降远大于现行国家标准《建筑地基基础设计规范》(GB50007—2002)规定的允许沉降差，连续两个月地基沉降速度大于每月 2 mm，且尚有变快趋势；或建筑物上部结构的沉降裂缝发展明显，砌体的裂缝宽度大于 10 mm；预制构件之间的连接部位的裂缝大于 3 mm；先浇结构个别部位也已开始出现沉降裂缝。

应当注意，本条规定的沉降标准，仅适用于建成已 2 年以上、且建于一般地基土上的建筑物；对建在高压缩性黏性土或其他特殊性土地基上的建筑物，此年限宜根据当地的经验适当加长。

(2)当地基(或桩基)的安全性按其承载能力评定时，可根据标准一般鉴定原则规定的检测或计算分析结果，采用下列标准评级：

当承载能力符合现行国家标准《建筑地基基础设计规范》(GB50007—2002)或现行行业标准《建筑桩基技术规范》(JGJ94—94)的要求时，可根据建筑物的完好程度评为 a_u 级或 b_u 级。

当承载能力符合现行国家标准《建筑地基基础设计规范》(GB50007—2002)或现行行业标准《建筑桩基技术规范》(JGJ94—94)的要求时，可根据建筑物损坏的严重程度评为 c_u 级或 d_u 级。

(3)当地基基础(或桩基础)的安全性按基础(或桩)评定时，宜根据下列原则进行鉴定评级。

对浅埋的基础或桩，宜根据抽样或全数开挖的检查结果，按《民用建筑可靠性鉴定标准》第 4 章同类材料结构主要构件的有关项目评定每一受检基础或单桩的等级，并按样本中所含的各个等级基础(或桩)的百分比，按下列原则评定该种基础或桩的安全性等级。

A_u 级：不含 c_u 级或 d_u 级基础(或单桩)，可含 b_u 级基础(或单桩)，但含量不大于 30%；

B_u 级：不含 d_u 级基础(或单桩)，可含 c_u 级基础(或单桩)，但含量不大于 15%；

C_u 级：可含 d_u 级基础(或单桩)，但含量不大于 5%；

D_u 级：d_u 级基础(或单桩)的含量大于 5%。

应当注意，当按本款的规定评定群桩基础时，括号中的单桩应改为基桩。

对深基础(或深桩)，宜根据国家有关规定的方法进行计算分析。若分析结果表明，其承载能力(或质量)符合现行有关国家规范的要求，可根据其开挖部分的完好程度定为 A_u 级或 B_u 级；若承载能力(质量)不符合现行有关国家规范的要求，可根据其开挖部分所发现问题的严重程度定为 C_u 级或 D_u 级。

(4)在下列情况下，可不经开挖检查而直接评定一种基础(或桩)的安全性等级：

当地基(或桩基)的安全性等级已评为 A_u 级或 B_u 级，且建筑场地的环境正常时，可取与地基(或桩基)相同的等级。

当地基(或桩基)的安全性等级已评为 C_u 级或 D_u 级，且根据经验可以判断基础和桩也已损坏时，可取与地基(或桩基)相同的等级。

(5)当地基基础的安全性按地基稳定性(斜坡)项目评级时，应按下列标准评定。

A_u级：建筑场地地基稳定，无滑动迹象及滑动史。

B_u级：建筑场地地基在历史上曾有过局部滑动，经治理后已停止滑动，且近期评估表明，在一般情况下不会再滑动。

C_u级：建筑场地地基在历史上发生过滑动，目前虽已停止滑动，但若触动诱发因素，今后仍有可能再滑动。

D_u级：建筑场地地基在历史上发生过滑动，目前又有滑动或滑动迹象。

2. 上部承重结构安全性鉴定

上部承重结构(或单元)的安全性鉴定评级，应根据其所含各种构件的安全性等级、结构的整体性等级，以及结构侧向位移等级进行确定。

1)构件安全性等级鉴定

a. 主要构件安全性评定

当评定一种主要构件的安全性等级时，应根据其每一受检构件的评定结果，按表1-7的规定评级。

表 1-7　每种主要构件安全性等级的评定

等级	多层及高层房屋
A_u	在该种构件中，不含 c_u 级和 d_u 级，可含 b_u 级，但一个子单元含 b_u 级的楼层数不多于 $(\sqrt{m}/m)$%，每一楼层的 b_u 级含量不多于25%，且任一轴线(或任一跨)上的 b_u 级含量不多于该轴线(或该跨)构件数的 1/3
B_u	在该种构件中，不含 d_u 级，可含 c_u 级，但一个子单元含 c_u 级的楼层数不多于 $(\sqrt{m}/m)$%，每一楼层的 c_u 级含量不多于15%，且任一轴线(或任一跨)上的 c_u 级含量不多于该轴(或该跨)构件数的 1/3
C_u	在该种构件中，可含 d_u 级，但一个子单元含有 d_u 级层数不多于 $(\sqrt{m}/m)$%，每一楼层的 d_u 级含量不多于5%，且任一轴线(或任一跨)上的 d_u 级含量不多于1个
D_u	在该种构件中，d_u 级的含量或其分布多于 c_u 级的规定数

b. 一般构件安全性鉴定

当评定一种一般构件的安全性等级时，应根据其每一受检构件的评定结果，按表1-8的规定评级。

表 1-8　每种一般构件安全性等级的评定

等级	多层及高层房屋
A_u	在该种构件中，不含 c_u 级和 d_u 级，可含 b_u 级，但一个子单元含 b_u 级的楼层数不多于 $(\sqrt{m}/m)$%，每一楼层的 b_u 级含量不多于30%，且任一轴线(或任一跨)上的 b_u 级含量不多于该轴线(或该跨)构件数的 2/5
B_u	在该种构件中，不含 d_u 级，可含 c_u 级，但一个子单元 c_u 级的楼层数不多于 $(\sqrt{m}/m)$%，每一楼层的 c_u 级含量不多于20%，且任一轴线(或任一跨)上的 c_u 级含量不多于该轴线(或该跨)构件数的 2/5
C_u	在该种构件中，可含 d_u 级，但一个子单元含有 d_u 级层数不多于 $(\sqrt{m}/m)$%，每一楼层的 d_u 级含量不多于7.5%，且任一轴线(或任一跨)上的 d_u 级含量不多于该轴线(或该跨)构件数的 1/3
D_u	在该种构件中，d_u 级的含量或其分布多于 c_u 级的规定数

注：表中"轴线"是指结构平面布置图中的横轴线或纵轴线。

c. 结构整体性鉴定

当评定结构整体性等级时，应按表 1-9 的规定，先评定其每一检查项目的等级，然后按下列原则确定该结构整体性等级：

(1)若 4 个检查项目均不低于 B_u 级，可按占多数的等级确定。

(2)若仅 1 个检查项目低于 B_u 级，可根据实际情况定为 B_u 级或 C_u 级。

(3)若不止 1 个检查项目低于 B_u 级，可根据实际情况定为 C_u 级或 D_u 级。

表 1-9　结构整体性等级的评定

检查项目	A_u 级或 B_u 级	C_u 级或 D_u 级
结构布置、支撑系统(或其他抗侧力系统)布置	布置合理，形成完整系统，且结构选型、传力路线设计正确，符合现行设计规范要求	布置不合理，存在薄弱环节，或结构选型、传力路线不当，不符合现行设计规范要求
支撑系统(或其他抗侧力系统)的构造	构件长细比及连接构造符合现行设计规范要求，无明显残损或施工缺陷，能传递各种侧向作用	构件长细比或连接构造不符合现行设计规范要求，或构件连接已失效或有严重缺陷，不能传递各种侧向作用
圈梁构造	截面尺寸、配筋及材料强度等符合现行设计规范要求，无裂缝或其他残损，能起封闭系统作用	截面尺寸、配筋或材料强度不符合现行设计规范要求，或已开裂，或有其他残损，或不能起封闭系统作用
结构间的联系	设计合理，无疏漏；锚固、连接方式正确，无松动变形或其他残损	设计不合理，多处疏漏；或锚固、连接不当，或已松动变形，或已残损

d. 结构侧向位移安全性鉴定

对上部承重结构不适于继续承载的侧向位移，应根据其检测结果，按下列规定评级：

(1)当检测值已超过表 1-10 界限，且有部分构件(含连接)出现裂缝、变形或其他局部损坏迹象时，应根据实际严重程度定为 C_u 级或 D_u 级。

(2)当检测值随已超出表 1-10 界限，但尚未发现上款所述情况时，应进一步计入该位移影响的结构内力计算分析，并应验算各构件的承载能力，若验算结果均不低于 B_u 级，仍可将该结构定为 B_u 级，但宜附加观察一段时间的限制。若构件承载能力的验算结果有低于 B_u 级时，应定为 C_u 级。

表 1-10　各类结构不适于继续承载的侧向位移评定

检查项目	结构类别			顶点位移 C_u 级或 D_u 级	层间位移 C_u 级或 D_u 级
结构平面内的侧向位移(mm)	混凝土结构或刚结构	多层建筑		$>H/450$	$H_i/350$
		高层建筑	框架	$>H/550$	$>H_i/450$
			框架剪力墙	$>H/700$	$>H_i/600$
	砌体结构	多层建筑	墙 $H\leqslant 10$ m	>40	$>H_i/100$ 或大于 20
			墙 $H>10$ m	$>H/250$ 或大于 90	
			柱 $H\leqslant 10$ m	大于 30	$>H_i/150$ 或大于 15
			柱 $H>10$ m	$>H/330$ 或大于 70	
	单层排架平面外侧倾			$>H/750$ 或大于 30	

注：(1)表中 H 为结构顶点高度；H_i 为第 i 层间高度。

　　(2)墙包括带壁柱墙。

　　(3)框架筒体结构、筒中筒结构及剪力墙结构的侧向位移评定标准，可以当地实际经验为依据制定，但应经当地主管部门批准后执行。

上部承重结构的安全性等级，应根据评定结果，按下列原则确定：

(1)一般情况下，应按各种主要构件和结构侧向位移(或倾斜)的评级结果，取其中最低一级作为上部承重结构子单元的安全性等级。

(2)当上部承重结构按上条(1)款评为 B_u 级，但发现其主要构件所含的各种 C_u 级构件(或其连接)处于下列情况之一时，宜将所评等级降为 C_u 级：

——C_u 级沿建筑物某方位呈规律性分布，或过于集中在结构的某部位；

——出现 C_u 级构件交会的节点连接。

——C_u 级存在于人群密集场所或其他破坏后果严重的部位。

(3)当上部承重结构按本条第(1)款评为 C_u 级，但若发现其主要构件或连接有下列情形之一时，宜将所评等级降为 D_u 级：

——任何种类房屋中，有 50%以上的构件为 C_u 级。

——多层或高层房屋中，其底层均为 C_u 级。

——多层或高层房屋的底层，或任一空旷层，或框支剪力墙结构的框架层中，出现 D_u 级；或任何两相邻层同时出现 D_u 级；或脆性材料结构中出现 D_u 级。

——当人群密集场所或其他破坏后果严重部位出现 D_u 级。

(4)当上部承重结构按上条第(3)款评为 A_u 级或 B_u 级，而结构整体性等级为 C_u 级，应将所评的上部承重结构安全性等级降为 C_u 级。

(5)当上部承重结构在按上条第(4)款的规定作了调整后仍为 A_u 级或 B_u 级，而各种一般构件中，其最低的一种为 C_u 级或 D_u 级时，尚应按下列规定调整其级别：

当设计考虑该种一般构件参与支撑系统(或其他抗侧力系统)工作，或在抗震加固中已加强了该种构件与主要构件锚固，应将所评的上部承重结构安全性等级降为 C_u 级。

当仅有一种一般构件为 C_u 级或 D_u 级，且不属于前项情况时，可将上部承重结构的安全性等级定为 B_u 级。

当不止一种一般构件为 C_u 级或 D_u 级，应将上部承重结构的安全性等级降为 C_u 级。

3. 围护系统的承重部分安全性鉴定评级

围护结构承重部分(子单元)的安全性，应根据该系统专设的和参与该系统工作的各种构件的安全性等级，以及该部分结构整体性的安全性等级进行评定。

当评定一种构件的安全性等级时，应根据每一受检构件的评定结果及其构件类型，分别按规定评级。

围护结构承重部分的安全性等级，可依据评定结果按下列原则确定：

(1)当仅有 A_u 级和 B_u 级时，按占多数级别确定。

(2)当含有 C_u 级或 D_u 级时，按下列规定评定：①若 C_u 级或 D_u 级属于主要构件时，按最低等级确定；②若 C_u 级或 D_u 级属于一般构件时，可按实际情况，定为 B_u 级或 C_u 级。

(3)围护结构承重部分的安全性等级，不得高于上部承重结构等级。

(三)单元安全性鉴定评级

住宅建筑鉴定单元安全性鉴定评级，应根据基础、上部承重结构和围护系统承重部分等的安全性等级，以及与整幢建筑有关的其他安全问题进行评定。

鉴定单元的安全性等级，应根据子单元的安全性的评定结果，按下列原则确定：

(1)一般情况下，应根据地基基础和上部承重结构的评定结果按其中较低等级确定。

(2)当鉴定单元的安全性按上款评为 A_{su} 级或 B_{su} 级，单围护系统承重部分的等级为 C_u 级或 D_u 级时，可根据实际情况将鉴定单元所评等级降低一级或二级，但最后所定等级不得低于 C_{su} 级。

对以下任一情况，可直接评为 D_{su} 级建筑：

(1)建筑物处于有危房的建筑群中，且直接受到其威胁。

(2)建筑物朝一方向倾斜，且速度开始变快。

四、结论和建议

本章由组成建筑物的基本构件的安全性鉴定开始，论述了构件的安全性鉴定评级方法，以及子单元即组成建筑物部件整体的安全性鉴定评级方法，最后论述了整个单元即整栋建筑物的安全性鉴定评级方法。该安全性鉴定方法从一定程度上能满足住宅建筑的安全性鉴定评级，但仍有一些问题亟待解决，具体如下：

(1)该方法专业性太强，只有专业的技术人员才可以较好地掌握运用该法对建筑物进行鉴定评价，而社会上专业人员缺乏，势必影响该法的推广应用。如能进一步研究，力争得出较为简单的鉴定评级方法，降低门槛，则十分有益处。

(2)该方法较为烦琐，这是现在检测仪器较为落后所致。如能发明一种能通过测定建筑物某一参数而直接得出建筑物安全性能的建筑物安全性检测分析仪，则对提高效率、降低人员劳动量都有很大的意义。

第二章 住宅使用功能评价体系

一、评价的目的和意义

在当今社会，住宅已不仅是人类遮风避雨、隔热御寒、繁衍后代的栖身之处，还是学习、娱乐、休息和社交的重要场所。因此，人们在期望有一套自己的住宅的同时，还十分关心住宅的功能。联合国人类居住委员会在《到 2000 年全球住房战略》中提出了"适当的住房"概念，这个概念包含适当的空间、适当的安全性、适当的通风和采光、适当的基础设施等项内容。住宅还要能够满足人们的心理要求，成为人们舒适地起居、学习、休憩的场所，让每一个家庭都能有一个高质量的生活空间。这是联合国人类居住委员会根据世界各国普遍存在的问题而提出的住宅应具有的功能。

改革开放以来，大规模的住宅建筑取得了巨大成就。从总体上看，我们基本上告别了住房严重短缺时代，特别是实行新的城镇住房制度以后，住宅逐渐成为新的消费热点，城镇居民的住房需求已经由单纯的数量需求进入到数量和质量同时并重阶段，并逐渐呈现质量型的需求特征。早期百姓对住宅质量的认知一般是停留在施工质量的水准上，从外观和直觉，如砖缝的横平竖直、门窗安装得天衣无缝、吊顶的平整等来看质量问题，局限于对建筑公司的工作进行评价；现在百姓对住宅开始挑剔了，对住宅有了更高的要求，如是不是双卫生间、客厅的开间多大、电梯是国产的还是进口的、窗外的景观好不好等，这些都隐含着人们对住宅质量的要求从施工质量提升到设计质量、产品部件质量、设备设施质量、服务质量，即内涵丰富的广义质量。这对住宅的工程质量、功能质量提出了更高的要求。

住宅的使用功能可能遭遇的问题牵涉从设计、建设、施工到宣传营销策略以及其他各个方面。

由于目前设计市场的混乱，大大小小无数的设计单位在住宅设计市场进行了无序的竞争。有些设计单位不惜压低设计收费来获取设计任务，而房地产公司则吝惜在投资中占比重极微的设计费用。在住宅设计科研上，人力和资金的投入很少，还没有在开发管理、审查、规划、设计各个环节上形成一个良好的住宅创作环境。各有关部门领导和人员的整体素质参差不齐，有些人用自己的喜好和理解要求设计，往往提出一些不切实际、违反设计原理的要求，建筑师成了画图匠，房地产商怎么说建筑师就怎么画，使得设计成品十分粗糙。仅对某地部分已建小区的调查，就发现了很多问题，即使是一些获得过国家大奖的住宅，也有一些使用功能上的毛病。有的设计只注意增加面积，却忽略了使用功能；有的起居厅大到 $30 \sim 40 \ m^2$，而不能直接采光通风，厅的四周都是门洞，很难布置家具并影响使用，使起居厅成了"交通厅"；有的住宅面积标准很高，却没有入户的过渡空间，进家无更衣换鞋、存放雨具和整装的地方，厅的私密性也无从谈起；有的厨卫位置不当，管道布置零乱等。

图 2-1 所示为城市已建住宅工程，可以看出，户门以内的玄关很窄，厨房门又紧邻入户门，造成进户后把厨房前面一块踩脏，而换了鞋进厅再到厨房时，须经过换鞋处，会使干净鞋再踩进户门时的脏地面，这很不合理。

图 2-2 为某地某住宅，可以看出，起居室兼餐厅中开了 6 个门洞，将整个空间分割得支离破碎，无法布置起居室的家具。

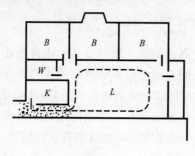

图 2-1

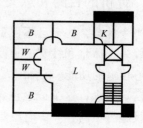

图 2-2

再如某地同一小区的另一住宅(见图 2-3)，可以看出，唯一的一个阳台放在主卧的外面，但只能从客厅里绕过去。这样既不符合动静分区，又无法保证主卧的隐秘性，而且使用极不方便。

这些缺陷的存在，有时并不是面积标准不高造成的。目前很多所谓高标准住宅往往客厅的面积达到 40～50 m²，而其余部分依然如故。因此，许多住户不管面积标准如何，在入住前都要先做一番伤筋动骨的改造，来使住宅具有更完善的使用功

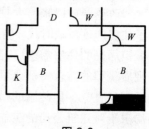

图 2-3

能，以满足自己的生活需要。大量的改造活动一方面给住户增加了很大的负担，另一方面往往会涉及整体的安全问题。这也充分说明了目前住宅在使用功能上存在较大的问题，相当多的住宅没有真正按照现代人的生活方式进行设计。因此，研究如何加强住宅的使用功能满足人们的家居生活与活动规律，制定出科学、全面、切合实际且具有较高可操作性的评价标准是一个相当紧迫的课题。

在销售方面，与商品房的使用面积相关的问题近几年来非常突出。一方面，关于住宅面积的各种概念给普通消费者造成一定的迷惑，因而构成日后纠纷的起源。另一方面，住宅面积方面的纠纷还经常发生在购房合同的签订过程中，由于一方或双方有意或无意的"疏忽"而造成合同纠纷。这种情况在住宅纠纷中占了相当大的比重。

目前商品房面积测算的现状是，购房者只能看到最终的面积数字，无法了解其具体的测算过程、测算依据，测算工作缺少透明和公开，难以保障消费者的知情权，在一定程度上影响了消费者购房的信心。

为了解决日渐增加的商品房面积纠纷问题，中国消费者协会(简称中消协)曾经推出"指定测绘机构对商品房面积进行预测"的举措。中消协有关人士称，此举旨在提高商品房面积市场的公开度、透明度、可信度，还消费者一个明白。

中消协表示，将继续关注商品房面积问题，并拟陆续推出一批面积透明的商品房项目。同时希望有关商品房面积测绘机构也能积极采取措施，进一步保障消费者在购房方

面的知情权，繁荣商品房消费市场。

因此，一方面，我们探讨商品房究竟应按哪一个面积标准出售，才可能对消费者——房地产销售中处于专业弱势的群体——是比较公平透明的，才能进一步减少由于商品房面积而引起的纠纷。另一方面，我们要进一步规范购房合同，使住宅交易的双方——主要是购房者——对于规范的合同及其过程有明确认识，力争把可能的纠纷阻止于萌芽。

这两个问题的研究，不管对于目前还是今后住宅产业的健康发展都有着十分积极的意义。

住宅的使用功能所涉及的各个方面都有很强的专业性，作为普通的消费者很难从眼花缭乱的房地产宣传中辨别、选择出他们真正需要、满意的住宅。

我们的研究目的在于针对目前的现状及问题，尝试着从专业的角度来确定住宅应满足的基本功能，以及与这些功能相对应的标准；努力从专业的角度出发，制定出一个让非专业的住宅消费者能够理解、辨别，然后根据自己的需要做出选择的一个住宅功能的评价体系。由此，可以更好地促使住宅行业的健康发展，设计建造出更好地满足消费者要求的住宅，进一步改善人民的居住环境，提高人民的生活水准，加快全面建设小康社会的步伐。

通过我们的工作，用专业的精神确定一种通俗易懂的标准，缩短专业与非专业的距离，一方面更好地规范引导住宅产业的发展；另一方面，这个标准让非专业的普通消费者有机会、有能力做出自己的选择，他们的行为通过市场可以促使住宅产业的建设发展更趋于人性化、强化以人为本的观念。

二、国内外基本情况

(一)国外基本情况

为了提高住宅质量，完善住宅的使用功能，各国都制定出了符合自己实际情况的住房质量评价体系。法国和欧洲其他几个国家都建立了国家一级的质量评价体系。1945 年法国就制定了建筑新产品新技术评价(认定或审定)制度(Agreement)，对制品(部件、构配件)和建造方法进行认定，此后该制度扩散到整个欧洲。法国在 1974 年还建立了以一幢新建住宅为对象的性能评价制度(Qualitel)。Qualitel 是从建设项目的规划、设计阶段开始评价住宅性能。Qualitel 可以帮助专业人员确定项目的质量，也可以帮助用户在住宅市场上对比住宅的质量。目前，Qualitel 评价的主要项目有 7 项，每一项分成若干小项，每一小项又由多个"评价要素"构成。这 7 个主要项目是：①配管(5 个小项)；②电气设备(2 个小项)；③室内噪声(6 个小项)；④室外噪声(2 个小项)；⑤制冷(评价项目共 2 项)；⑥屋面和外装修的维修费用(6 个小项)；⑦采暖和供热水费用(2 个小项)。此外，作为任选项目还有"通到住宅的道路"(10 个小项)。过去还有以下几个评价项目：共用通道部分的装修材料；厨房设备的可变性；厨房、浴室、厕所的墙体装修材料；楼板装修材料；设备维修费等。这些项目现在已取消。对每个主要项目都要进行综合评价，但对 7 个主要项目不进行大综合评价。最初，Qualitel 只以集合式住宅为对象，现在也包括独立式住宅。Qualitel 评价制度是根据自愿的原则施行的，但对有政府资金资助并具有一定规模的建设项目，有义务接受评价。

Qualitel 包括认定标签制度(称为 Label Qualitel)。特定的主要评价项目获得高等级评价而其余全部主要评价项目均获得 3 级以上评价的建设项目，可获得专项认定标签，如"声学舒适"、"高节能"住宅等认定标签。

住宅性能认定做得最好的是日本。日本自 20 世纪 60 年代以来施行工业住宅性能评定制度。2000 年 4 月，日本国会又颁布了以施行住宅性能表示制度为核心内容的《住宅品质确保促进法》，以国家基本法律的形式来推动普通住宅的性能认定工作。日本经过住宅性能认定住宅在 2002 年时已达 5%，至 2005 年，计划有 50%的住宅要进行性能认定。评价的指标共有 28 项，每项分 5 个等级，基本内容包括 3 个方面，即安全性、居住性、耐久性。其中居住性包括隔热、隔声、防水、换气、开口部性能等几个方面的内容。

(二)国内基本情况

1999 年 4 月 29 日，建设部印发《商品住宅性能认定管理办法》。2000 年 9 月，建设部颁发了《商品住宅性能评定方法和指标体系(试行)》，同时在全国部分省(市)试行该体系。该体系根据住宅的适用性能、安全性能、耐久性能、环境性能和经济性能划分等级。按照商品住宅性能评定方法和标准由低至高依次划分为"1A(A)"、"2A(AA)"、"3A(AAA)"三级。其中商品住宅的适用性能主要包括下列内容：①平面与空间布置；②设备、设施的配套与性能；③住宅的可改造性；④保温隔热与建筑节能；⑤隔音与隔振；⑥采光与照明；⑦通风换气。目前，建设部正在抓紧修订住宅性能认定国家标准，以进一步规范商品房市场。新修订的认定标准 2006 年正式出台，将成为中国唯一一部住宅性能评定标准。

但是，此体系自试行以来就暴露出许多问题。其中条文太烦琐、可操作性不强、脱离中国实际情况等问题比较突出，严重限制了其在国内房地产市场的执行。

此外，由于商品房买卖合同纠纷逐年增加，而相关法律规定比较原则化，人民法院在处理此类纠纷中也遇到了许多具体适用法律的问题。为了正确、及时指导各级人民法院公正审理商品房买卖合同纠纷案件，依法保护商品房买卖合同当事人的合法权益，规范房地产市场的交易行为，根据《民法通则》、《合同法》、《城市房地产管理法》、《担保法》等相关法律，结合民事审判实践，2003 年 3 月 24 日最高人民法院审判委员会第 1267 次会议通过了《关于审理商品房买卖合同纠纷案件适用法律若干问题的解释》(以下简称《商品房买卖合同纠纷解释》)，自 2003 年 6 月 1 日起施行。《商品房买卖合同纠纷解释》对商品房预售合同的效力、商品房销售广告、房屋面积缩水、商品房的交付使用及风险承担、商品房质量、商品房包销、商品房担保贷款(按揭)等方面如何具体适用法律做出了更加明确、具体的规定。其中，对房地产开发企业严重违反诚实信用原则、损害买受人利益的恶意违约、欺诈等行为，明确规定可以适用惩罚性赔偿原则。集资房、房改房、经济适用房不适用该解释。《商品房买卖合同纠纷解释》的制定与公布实施，有利于及时地解决处理商品房买卖纠纷，保护买受人的合法利益，稳定社会秩序。

三、本评价体系的评价内容

(一)评价的依据和方法

1. 评价的依据和原则

本体系严格依照国家在住宅建设方面的方针、政策和法规，有关住宅和住宅小区的建设标准、技术规范，以及在安全卫生、环境保护、节约用地、节约能源、节约用材、节约用水等方面的有关规定。本体系以现代家庭居住行为方式为评价依据，以"实用、经济、安全、美观"和"以人为核心"为指导原则。

2．评价的方法

评价一个事物如何，有定量和定性两种方法。定量评价能直观地反映多和少、大与小、程度的深与浅，定性评价则比较抽象。住宅的使用功能的评定与人民群众的利益息息相关，让居民真正明白评定结论的含义并能根据评定结论做出选择才是评定的最终目的。因此，定量的评定方法更具有实际意义。本评价体系采用定量评定的方法，在充分收集影响住宅使用功能的所有因素基础上，对这些因素进行归纳、分析、分解，建立住宅使用功能的指标体系；然后赋予每一个指标一个分值，形成指标量化体系；最后建立评定标准。

(二)影响住宅使用功能的因素

1．住宅使用面积

面积是影响住宅使用功能的一个很重要的方面。过小的面积不适宜人们日益增长的物质文化的需要。我国一些城市居民住宅正从生存型向舒适型转变。近期我国住宅发展目标是户均一套、人均一室，力争 2010 年达到人均建筑面积 35 m^2。主导户型为三室两厅和两室一厅，户均面积为 120 m^2 及 90 m^2。提高住宅功能质量的先决条件是提高规划设计质量，要改进目前的房型设计，做到大小适当、布局合理、方便适用等。现在一些住宅卧室面积太小，如不足 6 m^2；客厅面积过大，达到 40 m^2，甚至超过 60 m^2。居室净高不宜低于 2.8 m。新建住宅每套要从 6 个空间格局(卧室、客厅、餐厅、厨房、卫生间、阳台)增至 8 个空间格局(增加计算机房、储藏室)，卫生间使用面积不应小于 8 m^2。

2．平面与空间布置

(1)住宅平面布局设计首先强调的是"公私分区"。这是一条重要原则，是塑造家庭舒适环境的前提。一般来说，家庭的居住行为可分为公共生活、个人生活和生理生活行为三个部分。公共生活行为包括家庭团聚、会友、娱乐、书报、就餐、家务等。个人生活行为包括睡眠、休息、学习、兴趣、衣着等。生理生活行为包括便溺、洗浴、化妆、洗面、洗衣等。各种生活行为均有其特征和要求。公共生活空间代表了家庭的文化特色，反映了家庭的共同生活习惯，是面向社会的，是交往的空间。个人生活空间是培养个性、滋养兴趣、修身养性的地方，要求相对私密和安静。生理生活空间是必备的私密空间，在住宅中属中间地段，从使用性质上可以分为两个部分，一部分是洗浴、化妆、洗面，另一部分是便溺、洗衣等，前者应贴近卧室区，而后者可靠近公共生活区。所以，有条件的住宅内设两个厕所是合适的、必要的。

(2)其次是"动静分区"。"动静分区"从时间上来说，也可以叫做昼夜分区。一般来说，会客室、起居室、餐室、厨房和家务室是住宅中的动区，使用时间主要是白昼和部分晚上。卧室是静区，主要在夜晚使用。工作和学习空间也属静区，但使用时间上则根据职业不同而异。此外，父母和孩子的活动分区，从某种意义上来讲，也可算做动静分区，在高标准的住宅中也尽可能将它们布置在不同的区域内。

(3)最后是"洁污分区"。"洁污分区"主要体现为有烟气、污水及垃圾污染的区域和清洁卫生区域的分区，也可以概略地认为是干湿分区，即用水与非用水活动空间的分区。

3. 声环境

声环境主要包括分户墙、分室墙、楼板和门窗的隔声效果，以及室内的各种设备和管道噪音的影响。但是住户环境的影响因素是十分复杂的，尤其受外界声源的影响较大。我国《商品住宅性能认定管理办法》规定了 A 声级的计权值套内噪音白天不大于 50 dB，而夜间不大于 40 dB。我国目前住宅声环境质量离规定标准相差较远，这固然和我国城市噪音级控制有关，也和我国住宅建筑构造简单、门窗气密性水准不高、设备管道处置不妥有相当大的连带关系。长期以来，楼板撞击声的防治成为我国住宅老大难问题，主要原因是我国的楼面结构过分简单。通过住宅的功能评定，以促进住宅改进构造，增强隔声的能力，改善声环境。

4. 光环境

光环境主要包括日照、天然采光和人工采光等方面。日照条件是主要居住卫生指标，有些地区为提高容积率忽视日照的要求，这是不允许的。室内天然采光质量的影响因素较多，按照国家标准《建筑采光设计标准》的有关规定，主要对采光系数和房间的窗地比两项指标计算而言。

5. 通风换气性能

通风换气性能包括住宅穿堂风、通风排气烟道和通风设施等 3 个方面。要求室内无通风死角，或在有机械排风换气的条件下保持空气的净化，防止气体污染的发生。

6. 住宅的可改造性

一方面，各个家庭的生活方式是不相同的，这就决定了每个家庭具有不同的居住需求；另一方面，由于家庭本身职业、性格爱好、经济收入、生活习惯、教育、年龄的不同，形成了不同的个性化需求。这些都直接影响到住宅的内部空间划分。住宅作为耐久性极强的固定资产，要适应家庭的现代生活的发展，不断提高住宅的灵活性和可改造性，提高住宅科技含量和标准化水平，这是重要的技术基础条件，也是我国住宅建筑技术整体提高的重要使命。

7. 厨卫设计

厨卫作为住宅的重要功能部分，其设计的好坏直接影响着居民生活质量和水平。住宅厨卫设计应满足紧凑、实用原则。厨房应在满足烧煮条件下，紧凑布置灶台、操作台、洗池、放置台、吊柜、排油烟机、双向排气扇。余下空间 2 人可方便操作、3 人可操作即可。冰箱应出厨，布置在客厅或餐厅内。住宅卫生间应设置淋浴器、坐便器、机械排气。应从卫生间中隔离出一个小空间放置洗衣机和布置梳妆台、梳妆柜。这有利于保持一个好的环境空间，为人们生活提供一个舒适的环境。厨卫设计应以满足功能为前提，科学合理设计，适当加宽厨卫建筑面积，为人们提供一个功能齐全、使用方便、美观的厨房和卫生间。日本的住宅状态调查显示：对住宅不满率(包括比较不满和非常不满)为 40%，其中对厨房面积与设备不满占 66% ~ 73%，对卫生间面积与设备不满占 62% ~ 65%。这表明目前在住宅的厨卫设计上还存在着很多问题。

(三)本评价体系的层次结构

评价体系的层次结构是各因子之间的相互隶属关系。根据对系统的分析，将所含的因素分系统、分层次地构成一个完善、有机的层次结构，各种因子的次序、位置关系等可一目了然。

1. 总目标层

指标 A 为对评价住宅的评价总目标，即住宅使用功能评价。

2. 子目标层

子目标层 B 是住宅使用功能的各个构成方面，包括平面布置与功能空间配置、厨房和卫生间、各功能空间利用的合理性、声光环境与通风、可改造性。

3. 指标层

层次 C、D 是指标体系的最底层，它对准则层进行具体细化，提供了可供评价的指标。准则层(B 层)是宏观的，层次 C、D 是整个评价体系的基本元素。当 C 层的指标不够具体，无法进行评分时，就将其继续分解到 D 层。

(四)评价方法

1. 评价步骤

评价人员首先按照住宅使用功能评价表所列各评价指标对所要评价住宅进行观察、测量；然后按照测量结果填写住宅使用功能评价表(见表 2-1)；再将各项得分累加得出住宅使用功能的评价分数；最后按照评价分数确定出住宅等级。

表 2-1　住宅使用功能评价表

子目标层 B	指标层 C	指标层 D	分值	得分
平面布置	套内卧室、起居室(厅)、厨房、卫生间、贮藏室或壁柜等基本空间齐备		4	
	套内公共与私密分区，避免相互干扰		3	
	套内交通组织顺畅，不穿行起居室(厅)、卧室等主要功能空间		3	
	起居室(厅)、餐厅、厨房设置紧密协调		2	
	设置入户过渡空间		2	
	设置书房(工作室)功能空间		1.5	
	设置工人房，面积不小于 6 m²		1.5	
卧室与起居室配置	主卧室的使用面积满足使用要求	主卧室使用面积不小于 12 m²	3	
		主卧室使用面积不小于 14 m²	3.5	
		主卧室使用面积不小于 16 m²	4	
	次卧室的使用面积满足使用要求	小卧室使用面积不小于 8 m²	1.5	
		小卧室使用面积不小于 9 m²	2	
		小卧室使用面积不小于 10 m²，双人卧室使用面积不小于 14 m²	2.5	

子目标层 B	指标层 C	指标层 D	分值	得分
卧室与 起居室配置	起居室的使用面积满足使用要求	供起居用空间面积不小于 14 m²，开间不小于 3.6 m，且可用于布置家具的连续直线墙面长度不小于 3 m	2	
		供起居用空间面积不小于 18 m²，开间不小于 3.9 m，且可用于布置家具的连续直线墙面长度不小于 3.6 m	2.5	
		供起居用空间面积不小于 22 m²，开间不小于 4.2 m，且可用于布置家具的连续直线墙面长度不小于 4.2 m	3	
	起居室、卧室无明显视线干扰，起居室、主卧室视野开阔，无凹口天井开窗现象		1.5	
	用餐空间的配置满足要求	用餐空间面积不小于 8 m²	1	
		用餐空间面积不小于 10 m²	1.2	
		用餐空间面积不小于 12 m²	1.5	
		有自然通风和直接采光	0.5	
阳台与储藏空间配置	主阳台进深不小于 1.5 m，服务阳台进深不小于 1.2 m		2	
	储藏空间满足使用要求	贮藏室或壁柜面积不小于 1.5 m²	1.5	
		贮藏室使用面积不小于 2.5 m²	1.8	
		贮藏室面积不小于 3 m²	2	
厨房、卫生间配置	厨房使用面积满足使用要求	厨房使用面积不小于 5 m²	1.5	
		厨房面积不小于 6 m²	1.8	
		厨房面积不小于 7 m²	2	
	厨房操作空间满足使用要求	厨房操作台延长线不小于 2.4 m，厨房净宽不小于 1.8 m	1.5	
		厨房操作台延长线不小于 2.7 m，厨房净宽不小于 2.1 m	1.8	
		厨房操作台延长线不小于 3.0 m，厨房净宽不小于 2.1 m	2	
	厨房位置靠近入口处，并有自然采光、通风		1	
	3 个及 3 个以上卧室的套型具备 2 个卫生间(其中 1 个为主卧室专用)		1	
	卫生间使用面积满足使用要求	单卫生间面积不小于 4 m²，双卫生间总面积不小于 6 m²，卫生间一边净长不小于 1.5 m	1.5	
		单卫生间面积不小于 4.5 m²，双卫生间总面积不小于 8m²，卫生间一边净长不小于 1.8 m	2	
	卫生间平面设计布置有序，洁具安装尺寸及位置符合使用需要		1	

子目标层 B	指标层 C	指标层 D	分值	得分
各功能空间利用的合理性	标准层使用面积系数：高层住宅不小于72%，多层住宅不小于78%		2	
	功能空间形状合理，矩形房间长短边之比不大于2		2	
	套内过道面积不超过使用面积的1/20		2	
	居室净高满足使用要求	居室净高不低于 2.4 m	1.5	
		居室净高不低于 2.5 m	1.8	
		居室净高不低于 2.6 m	2	
	卫生间净高不低于 2.2 m	局部净高不低于 2.1 m	1	
	厨房净高满足要求	不低于 2.2 m	0.8	
		不低于 2.4 m	1	
无障碍通行	套内同层楼(地)面标高突变处高差不大于 20 mm		2	
	入户通道净宽不小于 1.2 m，并在转弯处满足轮椅最小回转宽度 1.5 m		1	
	厨卫通道净宽不小于 1.0 m		0.5	
	转弯处满足轮椅最小回转宽度 1.5 m		0.5	
	门廊有坡道，入口坡度不大于 1/12		1	
	高层门廊有坡道		1	
单元公共空间	楼梯段净宽不小于 1.0 m，平台宽不小于 1.2 m，踏步宽度不小于 260 mm，高度不大于 175 mm		1	
	各层候梯厅深度不小于电梯最大轿箱深度，且不小于 1.5 m，如有地下车库，电梯及楼梯应直接通到车库层		1	
	多层住宅底层入口处设进厅	面积不小于 4 m²	1.5	
		使用面积不小于 5 m²	1.8	
		使用面积不小于 6 m²	2	
	高层住宅底层入口处设门厅	面积不小于 15 m²	1.5	
		使用面积不小于 18 m²	2	
	多层住宅有垃圾收集措施，高层住宅各层有垃圾收集空间		2	
设备设施配置	厨房设备成套，并设有通风、换气系统，预留冰箱与其他厨房电器位置		2	
	洗衣机位置合理，设有洗衣机专用水嘴和地漏，有晾衣设施		1	
	主压力干管及阀门在户外设置		2	
	空调器室外机位置固定且处理得当		1	
	设置中央空调系统、分户式集中空调或分体式空调。空调器室外机位置固定且处理得当，风口等设施布置合理		2	
	设集中管井，位置合理，布管规整，或设管道设备小间		1	
	套内无排水管道穿楼板现象		1	
	5层及5层以上住宅设有电梯		2	

子目标层 B	指标层 C	指标层 D	分值	得分
可改造性	采用大开间易分隔的结构体系		6	
	套内采用轻质隔墙且易于改造		2	
	墙、柱、梁的设置便于空间分隔		2	
	住宅平面设计符合模数设计要求		2	
采光与通风	各居住空间采光良好	卧室、起居室、书房、厨房迎光面窗地面积比不小于 1/7	2	
		卧室、起居室、书房、厨房迎光面窗地面积比不小于 1/6	3	
	每套住宅至少有一个居住空间获得日照，当有 4 个居住空间时，其中有 2 个以上居住空间获得日照		2	
	主要居住空间前无明显采光遮挡		1.5	
	公共部位自然采光的窗地面积比不小于 1/10		1.5	
	主要功能空间在自然状态下具有室内穿堂风，且室内无通风死角		2	

2. 评价等级及其说明

本体系评价等级为 A、B、C、D 四级。100 分为 A 级；80~100 分为 B 级；60~80 分为 C 级；60 分以下为 D 级。各等级代表的功能水平见表 2-2。

表 2-2 评价等级及其说明

等级	等级说明
A	居住舒适、方便，是现阶段我国广大人民理想住宅
B	住宅的使用功能代表着我国现阶段的居住水平，能够满足人们现代化生活的需要
C	住宅的使用功能基本满足现代化生活的需要，但是在很多方面存在欠缺
D	住宅的使用功能存在严重问题，不建议消费者购买

四、本评价体系的优缺点

本检测评价方法是在对我国现阶段城市居民的居住情况充分了解，详细调查了河南省主要已建或在建的住宅小区，认真分析了其在住宅使用功能上所存在的问题之后，参考目前国内外各种住宅使用功能的评价方法，并进行改进而制定出的。总体说来，本评价方法有较好的适应性，适合目前的现状，且操作简单，不需要很多的专业知识和技能即可操作。本评价体系既可作为专业机构对住宅进行评价的依据，也可作为消费者在购房时对所购房屋进行评价的工具。

由于时间的仓促以及作者水平和能力的局限性，本文对住宅使用功能评价体系的研究只是一个初步的尝试，难免有认识肤浅和不足之处。并且现阶段我国住宅产业发展非常迅猛，随着我国住宅产业的发展和人们居住水平的提高，必将给住宅使用功能的评价带来各种新的课题。这些都有待进一步深入研究。

五、房屋相关面积的含义

(一)房屋建筑面积

房屋建筑面积是指房屋外墙(柱)勒脚以上的外围水平投影面积，包括阳台、挑廊、地下室、室外楼梯等，且具备上盖，结构牢固，层高 2.20 m 以上(含 2.20 m)的永久性建筑。如果计算多、高层住宅的建筑面积，则是各层建筑面积之和。

房屋建筑面积=套内建筑面积+分摊的公用建筑面积。

套内建筑面积=套内使用面积+套内墙体面积+阳台建筑面积。

套内墙体面积是商品房各套内使用空间周围的维护或承重墙体，分为共用墙及非共用墙两种。

共用墙是指商品房各套之间分隔墙、套与公用建筑空间之间的分隔墙以及外墙(包括山墙)。

共用墙墙体水平投影面积的一半计入套内墙体面积。非共用墙墙体水平投影面积全部计入套内墙体面积。

可分摊的公共建筑面积则包括以下两部分：

(1)大堂、公共门厅、走廊、过道、公用厕所、电(楼)梯厅、楼梯间、电梯井、电梯机房、垃圾道、管道井、消防控制室、水泵房、水箱间、冷冻机房、消防通道、变(配)电室、煤气调压室、卫星电视接收机房、空调机房、热水锅炉房、电梯工作休息室、值班警卫室、物业管理用房等以及其他功能上为该建筑服务的专用设备用房。

(2)套与公用建筑空间之间的分隔墙及外墙(包括山墙)墙体水平投影面积的一半。

(二)住宅使用面积

使用面积是指每套住宅户门内除墙体厚度外全部净面积的总和。其中包括卧室、起居室、餐厅、过厅、过道、厨房、卫生间、贮藏室、壁柜(不含吊柜)、户内楼梯等使用空间。所谓净面积是指上述各使用空间内墙皮的投影所包围的面积，内墙皮应是占墙面高度 1/2 以上的墙面内皮。

(三)套内使用面积

套内使用面积是套内房屋使用空间的面积，以水平投影面积按以下规定计算：

(1)套内使用面积为套内卧室、起居室、过厅、过道、厨房、卫生间、厕所、贮藏室、壁柜等空间面积的总和；

(2)套内楼梯按自然层数的面积总和计入使用面积；

(3)不包括含在结构面积内的套内烟囱、通风道、管道井均计入使用面积；

(4)内墙面装饰厚度计入使用面积。

(四)公用面积

住宅的公用面积是指住宅楼内为住户出入方便、正常交往、保障生活所设置的公共走廊、楼梯、电梯间、水箱间等所占面积的总和。开发商在出售商品房时计算的建筑面积存在公共面积的分摊问题。

(五)套内建筑面积

成套房屋的套内建筑面积由套内房屋使用面积、套内墙体面积、套内阳台建筑面积三部分组成。

(六)公摊面积

商品房分摊的公共建筑面积主要由两部分组成：

(1)电梯井、楼梯间、垃圾道、变电室、设备室、公共门厅和过道等功能上为整楼建筑服务的公共用房和管理用房的建筑面积。

(2)各单元与楼宇公共建筑空间之间的分隔以及外墙(包括山墙)墙体水平投影面积的50%。

(七)容积率

容积率是建筑总面积与建筑用地面积的比。例如，在 1 万 m^2 的土地上，有 4 000 m^2 的建筑总面积，其容积率为 0.4。

(八)得房率

得房率是指套内建筑面积与套(单元)建筑面积之比。

套内建筑面积=套内使用面积+套内墙体面积+阳台建筑面积。

套(单元)建筑面积=套内建筑面积+分摊的公用建筑面积。

第三章 建筑节能检测与评价

一、评价的目的和意义

建筑节能是指在建筑物设计、建造和使用过程中执行建筑节能的标准和政策，使用节能型的建筑材料、器具和产品，提高建筑物的保温隔热和气密性能，以减少能源的消耗。建筑节能是执行国家节约能源、保护环境的基本国策，实现可持续发展战略的重要组成部分，是世界建筑发展的大趋势，是改善人居环境的需要，也是今后建筑技术发展和产业升级的重点。

建筑物使用过程中所使用的能量即建筑能耗，在社会总能耗中占有很大的比例，而且社会经济越发达，生活水平越高，这个比例越大。西方发达国家建筑能耗占社会总能耗的 30% ~ 50%。美国一次能源消耗量 2000 年达到 36.55 亿 t 标准煤，其中建筑能耗占 33.7%，法国建筑能耗已占总能耗的 45%。我国尽管社会经济发展水平和生活水平还不高，但建筑能耗已占社会总能耗的 20% ~ 25%，且这一数字在迅速上升之中。在一些大城市中夏季空调已成为电力高峰负荷的主要组成部分。上海住宅空调安装率已达 70%以上，空调用电负荷高达 300×10^4 kW 以上，占高峰用电负荷的 1/3，造成 166.2×10^4 kW 的供电缺口。近两三年来，我国夏季频繁出现电力供应紧张，寻其原因，除去工业发展用电量增加之外，最大的原因就是空调进入寻常百姓家而致使建筑能耗的急速增加。在香港，电力的 84%、燃气的 96%被建筑所消耗，不论发达国家还是我国，建筑能耗状况都是牵动社会经济发展全局的大问题。

能源是人类赖以生存和发展的基本条件。20 世纪的石油危机，对石油进口国的经济发展和社会生活产生了极大冲击，使全世界都开始意识到节约能源的重要性。由于建筑能耗在社会总能耗中所占的比例较大，建筑节能成为世界节能浪潮的主流之一。另外，大量的能源消耗造成了严重的大气污染，全球"温室效应"致使生态环境迅速恶化，给人类敲响了警钟。国际建筑节能的基本目的主要是缓解能源危机，维持人类可持续发展。

以上仅是从国家社会角度论述建筑节能的重要性。对我们普通居民来说，我们可能是建筑节能的直接受益者。这主要表现在以下两个方面。

(一)开展建筑节能才能改善建筑室内热环境，提高居住水平

大量夏热地区，整个夏季室内热环境有 87.5%的时间是不舒适的。有 36.5%的时间影响居民的生活。例如在武汉、重庆这样的"火炉"城市，夏季晴天的中午到晚上这段时间一般有 60% ~ 90%的时间，室内不能正常生活，特别是不能睡眠；30% ~ 56%的时间，室内闷热难受，难以久留。在这种情况下，室内人员整夜处于似睡非睡的昏昏沉沉的状态，全身汗淋淋的，竹席上也满是汗水，当地居民称之为"熬命"，白天的工作和学习效率可想而知。如果房屋保温隔热效果好，可以提高人的舒适度，提高人们的生活水平。另外，由于节能建筑外墙和门窗结合更加严密，隔声性能大为提高，室外的噪音不容易

传进室内，从而提高了房屋的闭密性，使室外尘土难以进入室内，大大减小了室内打扫卫生的工作量，给保持室内清洁卫生创造了良好的条件，也有利于居民健康。

(二)减轻居民经济负担

为了在夏季抵御酷热，很多居民使用空调降温。空调功率小的为 1 kW，大的达 3 ~ 4 kW，是一项十分巨大的开支，足以让工薪阶层瞪大眼球。在冬季为了取暖，有的采用集中供热，有的使用空调，但无论使用何种方式，花费都相当高。这两年又逐步推行按供热量计费，房屋节能好的家庭交的取暖费就少。综上所述，开展建筑节能，在保证居民满足日常舒适度的情况下，可以大大节约能源消费，减轻居民的经济负担。

我国自 20 世纪 80 年代中期开始组织与实施建筑节能工作，经历了技术与标准准备、工程试验与试点，现已进入了有组织、有计划实施节能 65%目标的新阶段。随着建筑节能工作的不断深入，社会各界对建筑节能工作日益重视，低能耗、高舒适的各类建筑已被业主认同。开发商们也抓住了业主的这一心理，开发了一定数量的节能住宅，这对节约能源、减少污染、改善环境、提高建筑功能质量等都具有十分重要的意义。然而新的问题随之出现，一些开发商随意宣称自己的建筑产品为节能住宅，称采用隔热砂浆、塑钢玻璃等，节能效率达 50%甚至 70%以上，实际上他们的产品到底节能效率为多少，他们自己也不一定知道，而普通无专业知识的消费者根本无法知道这其中的底细缘由。再者现在房屋的节能设计主要是依照国家规定的标准，而作为设计院来说，节能住宅按照住宅节能设计规范设计结构的传热系数，其中所采用的建材按在标准附录上所列的热性能资料计算或者所采用材料通过导热系数测试值来推算结构的传热系数。事实上，标准附录上的材料性能只能作为参考，采用的许多新型材料性能有一定的差距，建材的传热系数应该以实际测量值为准。因而，房屋建成以后其实际节能效率如何，单凭感觉无法确定，需要对房屋的墙体、屋顶的传热系数，房屋空气渗透量进行测定，再综合了解房屋的各种实际参数，如体型系数、朝向、墙体面积、窗门面积及当地的气候资料，然后再进行严密的计算。而目前社会上还缺少这样的机构能站在第三方立场上来客观公正地进行建筑节能的评价。而现有的一些测试评价机构的测试评价工作也很不规范，得出的测评结果也让人怀疑。他们的测试评价往往站在政府立场上督察建设单位执行节能标准的力度，仅测试房屋节能是否达标，而不测定其实际的节能效率。因此，对建筑节能测试与评价这个老课题进行重新研究，确定建筑节能测试技术、建筑节能效率的计算评价方法，然后在社会推行，这对推动我国建筑节能技术的发展、规范节能测试评价市场、约束房地产开发商、服务广大消费者都有重大的意义。

二、国内外基本情况

(一)节能检测

节能检测的目的是实测建筑物的各种参数以评价建筑物的节能效果。目前国内外对建筑节能的检测主要有两种方法：一种方法是在热源处(冷源处)直接测取采暖耗煤量指标(耗电量指标)，然后求出建筑物的耗热量指标(耗冷量指标)，此法称为热(冷)源法；另一种方法是在建筑物处直接测取建筑物的耗热量指标(耗冷量指标)，然后求出采暖耗煤量指标，此法称为建筑热工法。由于在建筑工程完工之后，各种采暖制冷设备还没安装运行，因此对住宅节能检测这一项目只有用建筑热工法进行检测。

目前用热工法对住宅节能检测主要有以下几个方面。

1. 室内外温度的测量

一般采用铂电阻玻璃温度计、铜电阻半导体点式温度计及自记式温度计测量。

2. 围护结构传热系数的测量

分为实验室测量与现场测量。墙体的传热系数、屋面的传热系数及门窗等构件的传热系数在实验室中采用热箱法测量，早期构件尺寸为 1 000 mm×1 000 mm，现在已能在静态热箱上对 3.6 m×2.8 m 的整面墙体及其他构件进行测量。也可在实际自然条件下，在动态热箱上对实际构件的墙体及屋面进行测量，该方法具有测量精度高、不受时间地点限制等特点。现场测量所用仪表主要是热流计和热电偶。现场测量内容包括热流密度、室内外气温、维护结构的内外表面温度以及热流计的两表面温度。热流计的测点应选择在有代表性的部位，如结构复杂，需按不同部位加权评定。

3. 房间空气渗透量的测量

一般采用示踪气体法，或鼓风门法。鼓风门法是利用人为向房间加压，通过测鼓风机送入房间的风量的方法来测量空气渗透量的。示踪气体法是利用 SF_6 作为示踪气体，充向房间的初始浓度为 A，t 时间后采用 SF_6 气体检漏仪测出现有浓度 B，进行计算得到渗透量。但国内一般检测机构无此设备，不能进行此项测量。

4. 围护结构耗热量的测量

目前，国内外已有能力对围护结构如外墙、屋顶、地面等的耗热量进行实地测量。实地测量往往是将各构件划分成若干小区域，分别量测各个区域中央部位的耗热量，然后加权平均求出整个构件的耗热量，再累加其他构件的耗热量得出整个围护结构的耗热量。为提高精度，划分区域不能太小，否则会造成所测得数据非常之多，工作量非常之大。因此，采用此法进行量测也不太理想。

(二)评价方法

目前国内外常用的节能评价法有以下几种。

1. 达标法

目前我国及世界上许多其他国家都制定了房屋节能标准规范，规定了房屋的体型系数、朝向，各构件的传热系数及空气的渗透量等限量。新建房屋必须按此规范设计建造。还有一些国家按要求旧有房屋也必须按规范进行节能改造以节约能源，我国某些地区如北京也进行过节能改造。

2. 加权计算法

即先测量计算房屋各部位如墙体、窗门、屋顶的传热系数，拿计算得出的传热系数与传统建筑相应部位的传热系数作比较，得出各部位的节能率。然后依据各部位所占房屋传热量的比例加权计算出房屋的节能率。

3. 软件计算法

目前也有专用的计算机软件计算围护结构的传热量，如美国的劳伦斯伯克利国家实验室开发的 DOE-2 软件工具，其可以模拟建筑物采暖空调使用过程。用户可以输入建筑物几何形状及尺寸、围护结构的参数及全年的气象数据，该软件根据用户输入的数据进行计算，可以计算出建筑物的耗热量及其他数据。用此方法可以模拟计算出采用隔热材料的建筑和传统材料的建筑的耗热量，然后便可以计算出房屋的节能率。

4. 综合分析法

达标法有许多不切合实际的地方，其不能算出建筑物的实际节能率，且误差较大。加权计算法的不合理之处在于，由于建筑产品的特性不同，不同建筑物各部位所占总耗热量的比例各有差异，离散度大，加权系数不易确定，所得结果可信度也十分有限。软件计算法由于国外软件价格昂贵，代价太高不适合我国实际情况，而国内还没有十分成熟的这类软件产品，因此用此方法计算在我国也不常见。

三、节能检测评价

以上对节能评价的目的和意义及国内外现有检测评价方法进行了概述，下面对本文采用的检测评价方法及评价标准进行论述。

(一)本方法所考虑的几个因素

(1)体型系数。在建筑物各部位围护结构传热系数及窗墙面积比不变的情况下，耗热量指标随体型系数直线上升。体型系数应控制在 0.30 及以下。当体型系数大于 0.30 时，应进行修正。

(2)围护结构传热系数。包括窗、墙、地面、屋顶、门等。计算时应按不同情况进行修正。

(3)楼梯间是否开敞及采暖。计算时应予以考虑。

(4)朝向。计算时对围护结构的传热系数进行修正。

(5)换气次数。计算空气渗透耗热量时考虑计算。

(二)建筑物耗热量的计算方法

(1)建筑物耗热量指标应按下式计算：

$$q_H = q_{H.T} + q_{INF} - q_{I.H} \tag{3-1}$$

式中　q_H——建筑物耗热量指标，W/m^2；

$q_{H.T}$——单位建筑面积通过围护结构的传热耗热量，W/m^2；

$q_{I.H}$——单位建筑面积的建筑内部得热量(炊事、照明、家电、人体散热)，住宅取 $3.8\ W/m^2$；

q_{INF}——单位建筑面积空气渗透耗热量，W/m^2。

(2)单位建筑面积通过围护结构的传热耗热量应按下式计算：

$$q_{H.T} = (t_i - t_e)(\sum_{i=1}^{m} \varepsilon_i \cdot k_i \cdot f_i) / A_0 \tag{3-2}$$

式中　t_i——全部房间平均室内计算温度，室内住宅建筑取 16℃；

t_e——采暖区室外平均温度，依据各地气候资料；

ε_i——某一围护结构传热系数的修正系数；

f_i——某一围护结构的面积。

k_i——围护结构的传热系数，$W/(m^2 \cdot K)$，外墙应取平均传热系数；

A_0——建筑面积，m^2。

(3)单位建筑面积的空气渗透耗热量应按下式计算：

$$q_{INF}=(t_i-t_e)(C_\rho \cdot \rho \cdot N \cdot V)/A_0 \qquad (3\text{-}3)$$

式中　C_ρ——空气比热容，取 0.28 W·h/(kg·K)；

　　　ρ——空气密度，kg/m³，取 t_e 条件下的值；

　　　N——换气次数；

　　　V——换气体积，楼梯间及外廊不采暖时为建筑体积 V_0 的 0.60，即 $V=0.60V_0$，楼梯间及外廊采暖时为建筑体积 V_0 的 0.65，即 $V=0.65\ V_0$；

其他符号含义同前。

(三)各参数的获得

1. 参数的计算方法

(1)体型系数。一般情况下查阅建筑设计图可以直接得知，如需进行计算，则采用 $S=F_0/V_0$，其中 F_0 为外表面积，V_0 为建筑物的体积。

(2)采暖期室外平均气温，查表 3-1 得知。

(3)建筑面积、体积，查阅建筑设计图计算得知。

(4)各围护结构分项面积，查阅建筑设计图计算得知。

(5)ε_i 围护结构传热修正系数，查表 3-1 得知。

(6)围护结构传热系数。墙及屋顶的传热系数以现在技术可以测知，应通过现场测量获得，个别情况也可查阅手册计算得知；门窗及地面的传热系数有条件的应该以有资质的检测机构测量为准，但鉴于目前我国的实际情况，可以直接查表 3-1 及查阅产品说明书得知。具体的测量方法见本章附录。

2. 参数汇总表

(1)各参数的汇总表设计见表 3-1。

表 3-1　各参数的汇总表设计

工程名称：　　　　　　　　　　工程概况：

层高：　　　　　　　　　　　　建筑面积：

体积：　　　　　　　　　　　　体型系数：

所在区采暖期室外平均气温：

计算填表人：

附加说明：

名称	构造	说明	传热面积及修正系数								附加说明
			东	ε	南	ε	西	ε	北	ε	
屋顶											
外墙											
楼梯间隔墙		采暖									
		不采暖									
户门											
窗户		有阳台									
		无阳台									
阳台门下部											
地面		周边									
		非周边									

(2)面积和体积计算方法见表 3-2。

表 3-2 面积和体积计算方法

项目			计算方法	附加说明
建筑体积			建筑物外表面和底面面积所围成的体积	
建筑面积			各层外墙外包线所围面积的总和	
围护结构面积	屋顶和顶棚	楼梯间采暖	支撑屋顶的外墙外包线围成的面积	
		楼梯间不采暖	支撑屋顶的外墙外包线围成的面积–楼梯间屋顶面积	
	外墙	楼梯间采暖	该朝向外墙面积–该朝向窗户和外门面积	
		楼梯间不采暖	支撑屋顶的外墙外包线围成的面积–楼梯间外墙面积	
	窗		该朝向窗户面积+阳台门上部透明部分面积	
	门	外门	该朝向外门洞口面积	
		户门	各层户门口洞口面积	
		阳台门下部	该朝向阳台下部不透明部分面积	
	楼梯间采暖地面	周边	外墙内侧向内 2.0 m 范围内的地面面积	
		非周边	地面面积–周边地面面积	
	楼梯间不采暖地面	周边	支撑屋顶的外墙外包线围成的面积–楼梯间内侧向内 2.0 m 范围内的地面面积	
		非周边	地面面积–周边地面面积–楼梯间内侧向内 2.0 m 范围内的地面面积	

(3)窗户的传热系数见表 3-3。

表 3-3 窗户的传热系数

窗框材料	类型	空气层厚度	窗框窗洞面积比(%)	传热系数(W/(m² · K))
钢、铝	单层窗	—	20 ~ 30	6.4
	单框双层窗	12	20 ~ 30	3.9
		16	20 ~ 30	3.7
		20 ~ 30	20 ~ 30	3.6
	双层窗	100 ~ 140	20 ~ 30	3.0
	单层+单框双玻窗	100 ~ 140	20 ~ 30	2.5
木、塑料	单层窗	—	30 ~ 40	4.7
	单框双玻窗	12	30 ~ 40	2.7
		16	30 ~ 40	2.6
		20 ~ 30	30 ~ 40	2.5
	双层窗	100 ~ 140	30 ~ 40	2.3
	单层+单框双玻窗	100 ~ 140	30 ~ 40	2.0

(4)河南省主要城市采暖期室外平均温度见表 3-4。

表 3-4　河南省主要城市采暖期室外平均温度

城市名称	计算采暖期		平均温度下的空气密度 (kg/m³)
	天数	室外平均温度(℃)	
郑州	98	1.4	1.29
新乡	100	1.2	1.29
开封	102	1.3	1.29
商丘	101	1.1	1.29
许昌	90	2.0	1.29
洛阳	91	1.8	1.29
三门峡	97	1.2	1.29
安阳	105	0.3	1.30
濮阳	107	0.2	1.30
周口	92	1.7	1.29
漯河	90	1.7	1.29
济源	98	1.2	1.29
鹤壁	100	1.2	1.29

(5)河南省范围内建筑物围护结构传热系数修正系数 ε_i 见表 3-5。

表 3-5　河南省范围内建筑物围护结构传热系数修正系数 ε_i

			修正系数 ε_i		
窗户(包括阳台门上部)	有阳台	单层窗	东西	南	北
			0.80	0.69	0.86
		双层及双玻窗	0.76	0.60	0.84
	无阳台	单层窗	0.69	0.52	0.78
		双层及双玻窗	0.60	0.28	0.73
外墙(包括阳台门下部)			0.88	0.79	0.91
屋顶			0.94		

注：(1)阳台上不透明部分按同朝向窗户的 ε_i 值,阳台门下部不透明部分的 ε_i 值按同朝向的外墙采用。
　　(2)接触土壤的地面 ε_i＝1.0。

(6)与不采暖楼梯间及其他不采暖房间相邻的隔墙门窗和楼板的 ε_i 值,应以表 3-6 的温度修正系数 n 代替。

表 3-6　不同情况下温度修正系数 n

序号	围护结构及其所处情况	温度修正系数 n
1	带通风间的平屋顶、坡屋顶顶棚及与室外空气相通的不采暖地下室上面的楼板	0.90
2	与有外门窗的不采暖楼梯间的隔墙户门:	
	1~6 层建筑	0.6
	7~30 层建筑	0.5
3	不采暖地下室上面的楼板外墙上有窗户	0.75
	外墙上有窗户且位于室外地坪以上	0.60
	外墙上有窗户且位于室外地坪以下	0.40

对于封闭的阳台内的外墙和阳台门下部应将原修正系数再乘以 0.75。

换气体积 V，楼梯间不采暖时应按 $V=0.60\,V_0$ 计算；楼梯间采暖时应按 $V=0.65\,V_0$ 计算。

(四)建筑物耗热量指标的计算

在得到上述所有参数之后，便可以进行耗热量指标计算了。为了更明了，仍采用表格计算法，计算表格设计见表 3-7。

表 3-7　建筑物耗热量指标计算表格设计

项目	计算式及计算结果	占总耗热量百分比
传热耗热量	$q_{H.T}=(t_i-t_e)(\sum\limits_{i=1}^{m}\varepsilon_i\cdot k_i\cdot f_i)/A_0$	
屋顶	$Q_R=$	
外墙	$Q_{W.S}=$ $Q_{W.N}=$ $Q_{W.E}=$ $Q_{W.W}=$ $\Sigma=$	
楼梯间隔墙		
户门		
窗户 (含阳台门上部)	有阳台：$Q_{G.S}=$ $Q_{G.N}=$ $Q_{G.E}=$ $Q_{G.W}=$ 无阳台：$Q_{G.S}=$ $Q_{G.N}=$ $Q_{G.E}=$ $Q_{G.W}=$	
阳台门下部	$\Sigma Q_B=$	
地面	周边：$Q_{F1}=$ 非周边：$Q_{F2}=$ $\Sigma Q_F=$	
传热耗热量	$Q_{H.T}=Q_R+\sum Q_W+\sum Q_S+\sum Q_G+\sum Q_B+\sum Q_F$ $=$	
空气渗透 耗热量	$q_{INF}=(t_i-t_e)=(C_\rho\cdot\rho\cdot N\cdot V)/A_0$ $=$	
传热耗热量指标	$q_{H.T}=Q_{H.T}/A_0$ $=$	
空气渗透耗热量指标	$q_{INF}=Q_{INF}/A_0$	
内部得热指标	3.8 W	
建筑物耗热量指标	$q_H=q_{H.T}+q_{INF}-q_{r.H}$ $=$	

建筑耗热量的最终确定：前面计算表中考虑了除体型系数 S 以外的几乎所有因素。如前所述，住宅耗热量与体型系数密切相关，有关研究成果表明，建筑物耗热量指标随

着建筑体型系数的增长而呈直线增长，体型系数每增长 0.01，耗热量增长 2.5%。因此，当体型系数大于 0.3 时，考虑将耗热量指标进行修正，即 $q_H=[1+(S-0.3)\times0.025]\times q_H$；当体型系数小于 0.30 时，不进行修正，最终得出建筑物的耗热量指标。

(五)房屋节能状况的综合评价

如前所述，建筑节能效率指采用保温隔热建筑材料和新的工程做法的建筑的耗热量与相应部位采用典型传统建筑材料和工程做法的建筑的耗热量的比较结果。因此，为了计算建筑节能效率，必须对典型的建筑构件的做法和性能参数进行界定。依据河南省的实际情况，这里采用表 3-8 进行界定。

表 3-8　典型建筑构件的做法和性能参数

构件	构造	传热系数(W/(m² · K))
屋顶	防水层，20 mm 厚水泥砂浆找平层，50 mm 厚加层；110 mm 厚钢筋混凝土大楼板	1.83
墙体	240 mm 厚砖墙，20 mm 厚内抹灰	1.83
窗户	木单层窗	4.7
	单层金属窗	6.4
户门	外框木门单层	4.7
阳台	钢板门	6.4

换气次数取 $N=1.0$ L/h；鉴于现在地板一般不采取节能措施，对典型的传统地板不做界定。

1. 各构件节能率的评定

为了给客户反映建筑节能的实际情况，节能评价时，评价出各部位如墙体、窗、屋顶等的实际节能效率，使客户心里有数，以供客户进一步采取改造措施。比如说，我们给出某一栋住宅楼的窗户节能效率比较差，而其他构件的节能效果还可以，客户可以改造其窗户，如改换塑钢窗户，以提高节能效果，提高房屋舒适度，节省电能消耗。

各构件的节能效率计算公式如下：

$$\eta = \frac{k_1 - k_2}{k_1} \tag{3-4}$$

式中　k_1——相应传统结构的传热系数，由表 3-8 查得；

　　　k_2——实际构件的传热系数，为现测值或查表值。

各构件节能效率的评价标准如下：当 $\eta \geq 0.50$ 时，评为 A 级；当 $0.35 \leq \eta < 0.50$ 时，评为 B 级；当 $0.15 \leq \eta < 0.35$ 时，评为 C 级；当 $\eta < 0.15$ 时，评为 D 级。其中 A 级表示目前处于先进水平，B 级表示基本上比较先进，C 级表示大部分能达到此水平，D 级表示处于落后水平。

2. 整栋住宅的建筑节能评价

我们的最终目标是得出整栋住宅的节能效率，实际住宅的各种参数代入计算表格，计算得出该住宅楼的实际耗热量 q_{H1}，然后将该住宅楼的相应结构部位换做传统结构，套用相应的参数，代入计算表格进行计算，求得采用传统围护结构时该住宅的耗热量 q_{H2}，而整栋住宅楼的节能效率便为 $\eta = \dfrac{q_{H1} - q_{H2}}{q_{H2}}$。

3. 评定标准的确定

就目前而言，国外建筑的节能率能达到 50%以上，而我国现在的建筑节能工作还十分落后，建设部规定的 50%节能标准，其中设备节能就占到 20%左右，建筑这一块仅占 30%左右。据研究，如果采取合理的节能措施，在增加投资不多的情况下，建筑的节能率可达到 75%左右。因此，我国在建筑节能这方面还处于十分落后的地位，我国的建筑节能还有很大的潜力可挖。我国现在较先进的可以达到30%以上，大部分还处于低级水平，因此为鼓励先进、鞭策后进，拟定评价标准如下：当$\eta \geq 0.50$时，评为 A 级；当$0.30 \leq \eta < 0.50$时，评为B级；当$0.15 \leq \eta < 0.30$时，评为 C 级；当$\eta < 0.15$时评为 D 级。其中 A 级表示目前处于先进水平，B 级表示基本上比较先进，C 级表示大部分能达到此水平，D 级表示处于落后水平。建筑节能评价表见表 3-9。

表 3-9　建筑节能评价表

构件	实际构件实测传热系数 $k_1(W/(m^2 \cdot K))$	传统构件传热系数 $k_2(W/(m^2 \cdot K))$	节能率 $\eta = \dfrac{k_1 - k_2}{k_1}$	评价语
层顶				
外墙				
窗户				
户门				
阳台门下部				
楼梯间隔墙				

四、本检测评价方法优缺点

本检测评价方法是在对以往各种检测评价方法的细心研究之后提出的，其将建筑节能设计的方法加以改进，得出了建筑节能的检测方法，又根据国家及河南的实际情况，构筑了一个评价标准。具体说来，有以下较优越的地方。

(1)思路清晰明确，工作程序简便，按部就班，自然流畅。

(2)方法简单，有一定专业知识的人员只要稍加学习便可轻松掌握，即使无专业知识的人员经过简单的培训也可以较快掌握，便于推广施行。

(3)该方法删繁就简，考虑了影响建筑节能的最主要的几个因素，略去了一些不太明白的次要因素，减小了工作量，但不影响评价结果的可信度。

(4)各种参数的整理及计算过程全部以表格的形式给出，避免各数据的遗漏，便于核查计算结果的正确性。

(5)既给出了整个建筑物的节能效率，又附带地给出了各构件的节能效率，给客户以参考。评价标准定得比较合理，符合我国特别是河南省的实情。可以看出，通过采取一定的保温隔热措施，达到一定的节能效率是完全可以的。现在我国建筑材料的保温隔热效果已经能达到世界先进水平，如墙体的传热系数已经能做到小于 0.4 W/(m² · K)，门窗的传热系数已经能做到 2.0 W/(m² · K)左右，而且我国某些地区如天津、唐山、北京建设的节能住宅示范小区的实际节能率已经达到 50%左右(仅考虑建筑节能，不包括设备节能)。因此，该评价标准定得比较合理。

当然，由于水平及本行业研究深度所限，有以下几点不足，亟待补充完善：

(1)计算量较大，比较容易出错，计算时应特别认真，并应该仔细核查计算结果以保证计算的正确性。

(2)由于影响建筑节能的因素非常多，诸如，小区的建筑规划、绿化率、所在区的常年风速乃至窗户是否阳光直射等都对建筑的节能有影响，这些因素按说都应该考虑在内，但对这些因素的影响效果的量化非常难，而且由于鉴于这些因素是次要因素，本方法干脆忽略了它们的影响。这点不太合适，建议以后对此加以研究完善。

(3)对典型传统建筑构件未做深入的研究便对其做了界定，可能与实际情况有所差异，建议对这方面做大量的调查研究，做一个更符合实际的界定。

(4)空气渗透耗热量计算时，换气次数到底定为多少，没有一个合理的说法，仅按节能规范做了规定，而节能规范对这方面也没有合理的说明。

总体说来，本检测评价方法有较好的适应性、可操作性，适合目前的现状。但正如前述，还有一系列的不足，亟待补充完善。如能将此检测评价方法与计算机结合，编制一个专用的节能评价软件，对提高工作效率、减小人员工作量将十分有用(目前已有同类产品，加以改造完善便可)。

五、保护热板法测定材料的导热系数

(一)试验原理和装置

在稳态条件下，保护热板装置的中心计量区域内，在具有平行表面的均匀板状试件中，建立类似于以两个平行均温平板为界的无限大干板中存在的一维恒定热流。通过测定稳定状态下流过计量单元的一维恒定热流量，计量单元的面积、试件的厚度以及试件冷、热表面的温差，便可计算出试件材料的导热系数。

根据上述原理可建造两种形式的保护热板法装置，即双试件装置和单试件装置，简称双平板导热仪和单平板导热仪。双试件装置由加热单元、冷却单元、扁圆保护单元、测量仪表等组成，单试件装置还应加上背保护单元。两种试验装置的特点如图 3-1 所示。双试件装置中，在两个几乎相同的试件中夹一个加热单元，试件的外侧各设置一个冷却单元，热由加热单元分别经两侧试件传给两侧的冷却单元。单试件装置中加热单元的一侧用绝热材料和背保护单元代替试件和冷却单元，绝热材料的两表面应控制温差为零，无热流通过。边缘保护单元用于限制边缘热损失，保证试件中一维热流场。测量仪表用于对温度、加热电功率、试件尺寸和重量的测量。温度测量除了测量用于计算结果的试件两侧温差外，还应控制试件侧向温差在足够小的范围内，对单试件装置还应限制背保护单元两侧温差，以保证加热单元产生的热流量几乎全部经过试件传给了冷却单元，造成通过试件的单向稳定导热过程。

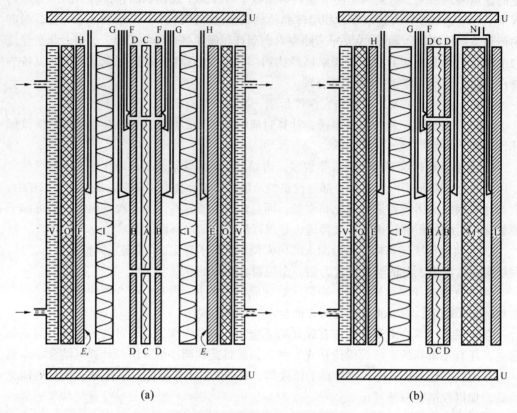

图 3-1 保护热板法测量装置

(a)双试件装置；(b)单试件装置

A—计量加热器；B—计量面板；C—防护加热器；D—防护面板；E—冷面加热器；E—冷却单元面板；
F—平衡检测温差热电偶；G—加热单元表面测温热电偶；H—冷却单元表面测温热电偶；I—被测试件；
L—背防护加热器；M—绝热层；N—背防护单元温差热电偶；O—绝热层；U—外防护套；V—冷却水管

(二)测量方法

1. 制备试件

(1)试件的平面尺寸应与装置热板尺寸基本相同，厚度小于热板宽度的 1/4。当需要双试件时，它们应该尽可能地一样。

(2)对硬质试件要磨平表面，使其表面不平整度不得大于试件厚度的 1%；对粉状材料应选用导热系数相近或小于被测材料导热系数的材料做围框，把粉末材料装在围框中。

(3)试件应烘干，使其含湿量<2%。

2. 测量

(1)称量试件的重量和尺寸，称量后立即把试件装入仪器中并压紧。对压缩易变形的试件，在四周必须用导热系数接近或小于被测材料导热系数的材料作支承块。

(2)按实际使用情况和测试要求，选择试件的平均温度及两表面的温差。

(3)在冷、热板上固定热电偶以测量表面温度。

(4)对设备通电加热,调节输入功率,控制平衡检测温差,待试件达到热稳定状态后,每隔 30 min 测量试件两表面的温差和施加于计量面积的电功率。当连续 4 次测量结果的偏差在 ± 1%以内,而且不是单向变化时,测量即可结束。

(5)通过测量出试件两侧的温差以及热板加热器的电功率,按下面公式计算出试件的导热系数:

$$\lambda = \frac{Qd}{nA\Delta T} \tag{3-5}$$

式中　λ——试件材料的导热系数,$W/(m \cdot K)$;

　　　Q——热流量,W/m^2;

　　　d——试件厚度,m;

　　　A——计量单元的面积,m^2;

　　　ΔT——试件冷热表面温差,℃;

　　　n——装置修正系数,对单试件 $n=1$,双试件 $n=2$。

六、保护热箱法测定围护结构的热阻和传热系数

(一)试验原理及装置

试验基于一维稳态传热原理,在试件两侧的箱体(冷箱和热箱)内分别建立所需的温度、风速和辐射条件,达到稳定状态后,测量试件两侧的空气温度、表面温度及输入到计量箱内的功率,就可计算出试件的热阻和总热阻。

保护热箱法装置由冷箱、热箱、控温和测温系统组成。热箱包括计量箱和保护箱,计量箱置于保护箱内,保护箱的作用是在计量箱周围建立适当的空气温度和表面换热系统,使流过计量箱壁的热流量及试件不平衡热流量减到最小,从而保证计量箱内加热器及电风扇产生的热量几乎全部经过试件传到冷箱。

(二)测量方法

1. 试件的制备与安装

(1)取具有代表性的试件,其尺寸应符合箱体试件尺寸的要求。

(2)测量前应将试件调节到气干状态,以减少试件中热流受到所含水分的影响。

(3)在试件两侧表面固定热电偶,安装试件时,边缘要进行密封和保温。

2. 测量

(1)冷、热箱的温度应尽可能地与试件的使用温度相一致,最小温差为 20℃。

(三)保护热箱法测量装置

平均值偏差小于 1%,并且每小时的数据不是单向变化的,试验方能终止。

(1)两个连续的 3 h 测量得到的平均数据作为测定值。

(2)对冷、热箱分别进行降温和升温,根据试验要求调节冷、热侧的空气速度,保护箱的温度,使流过计量箱壁的热流量及试件不平衡热流量尽可能接近。

(3)接近稳态后,用下面的公式计算出最后结果:

$$R = \frac{A(t_i - t_e)}{Q} \tag{3-6}$$

$$R_0 = \frac{A(t_{ai} - t_{ae})}{Q}$$ (3-7)

$$k = 1/R_0$$ (3-8)

式中　R——试件的热阻，$m^2 \cdot K / W$；

　　　A——试件的计量面积，m^2；

　　　t_i——试件热侧表面温度；

　　　t_e——试件冷侧表面温度；

　　　Q——计量箱内总输入功率，W；

　　　R_0——试件总热阻，$m^2 \cdot K / W$；

　　　t_{ai}——试件热侧的空气温度；

　　　t_{ae}——试件冷侧的空气温度；

　　　k——试件的传热系数，$W / (m^2 \cdot K)$。

七、现场测量

现场测量所用的仪表主要是热流计和热电偶。现场测量的内容包括热流密度，室内、外气温，围护结构的内、外表面温度以及热流计的两表面温度。

热流计的测点应选在有代表性的部位。如结构复杂，需按不同部位求加权平均值，应在不同部位设置测点。热流测点一般设在围护结构内表面，热流计安装时尽可能采用埋入式。为了保证接触良好，并且装拆方便，常用胶液、石膏、黄油或凡士林粘贴。对于连续采暖房屋的围护结构的传热系数测量，采用此法比较方便，且具有一定的精度。测量时应选在当地无风或微风的阴寒天气，避开寒潮期。连续观测时间，厚重性结构不少于 7 昼夜，轻型结构不少于 3 昼夜。采用累积式测法，人工记录时，每 30 min 记录一次，自动打印每 10 min 一次。

围护结构传热系数 K 按下式计算：

$$K = \bar{q} / \Delta \bar{t}$$ (3-9)

式中　K——围护结构的传热系数，$W/(m^2 \cdot °C)$；

　　　$\bar{q}$——实测热流密度平均值，W/m^2；

　　　$\Delta \bar{t}$——被测结构内、外表面温度平均差，$°C$。

$$\bar{q} = \sum q_t / n$$ (3-10)

$$\Delta \bar{t} = \sum \Delta t_t / n$$ (3-11)

其中　q_t——t 时刻的实测热流密度，W/m^2；

　　　Δt_t——t 时刻结构内、外表面温差平均值；

　　　n——总共测量次数。

八、房间空气渗透量的测量

房间空气渗透量可以采用示踪气体法或鼓风门洞法。鼓风门洞法是利用人为向房间加压，通过测鼓风机送入房间的风量测量房间空气渗透量的。示踪气体法应用较多，它是利用 SF_6 作为示踪气体，充向房间的初始浓度为 C_0，由于室外空气通过门窗缝隙渗入到室内，经过 t 时间后，室内示踪气体被稀释，其浓度为 C_i。采用 SF$_6$ 气体检漏仪，测出 C_0 和 C_i 即可求出房间空气渗透量 V_t 以及冷风渗透耗热量 Q_{INF}。

$$V_t = \frac{V_2}{\Delta t} \ln(C_0 / C_i) \tag{3-12}$$

$$Q_{INF} = V_1 r C(t_0 - t_w) \tag{3-13}$$

式中　V_1——房间空气渗透量，m^3/h；

　　　V_2——被测房间体积，m^3；

　　　Q_{INF}——冷风渗透耗热量，W；

　　　r——空气容重，1.293 kg/m^3；

　　　C——空气比热，取 0.28 W·h/(kg·℃)；

　　　t_0、t_w——室内、外温度；

　　　Δt——初值与终值时间间隔，h。

　　房间释放 SF$_6$ 后，应用风机将气体搅拌均匀，房间通向走廊的门应用密封条封上。房间内离地 1.5 m 处应设乳胶管一根，胶管另一头留在房间外，用夹子夹紧。每次取样均由此管处用大号针筒取出。开始时需抽出若干筒排出(其容量相当于胶管总体积)，然后再抽取试验需要的气体，达到要求后迅速拔出针筒，用套子夹紧针筒口，记下抽气时间，夹紧胶管。把抽取的气体用气体检漏仪测定。每隔 30 min 左右重复取样 1 次，直到检测结果为检漏仪示值的 30% 左右为止。在测量渗风时，应同时测量室内外气温、压差和风速。上述的测量，一昼夜应进行 3～4 次。

第四章　住宅安全性能评价

一、住宅安全性能评价的重要性及意义

住宅作为特殊商品，人们关注的不仅是其价格，还会关注与其价格相匹配的性能。住宅的安全性就是商品住宅应具备的几个性能之一，也是最为重要的性能，因为住宅的安全性能关系到居民的生命与财产安全，关系到居民的身体健康，没有安全保障就无从谈起住宅的适用性、环境性等其他性能，可以说安全性是前提。本章介绍此评价系统的目的就是为了让它能真正地反映每套住宅内外安全性能情况，从而使购房者对所购房屋的安全性能有明确的了解。

提起住宅的安全性，人们一般理解为狭义的安全概念，认为只要其结构安全可靠，建筑防火能满足规范要求，安全就有了保证。而实际上，住宅的安全性不仅取决于住宅建筑结构的安全可靠、建筑防火满足规范要求，还与燃气、电气、日常安全防范措施以及有害物质等方面有着密切的关系。对建筑结构、建筑防火方面人们有一些了解，而对于日常安全防范措施、有害物质等方面则比较生疏，下面我们就分别加以阐述。

(一)建筑结构

建筑结构安全性能应该是住宅最基本的性能要求，如果一幢住宅不论它的装饰如何美观，地理位置如何优越，但其本身存在安全隐患，那么它也不适合居住。这是我们所熟知的道理。

近年来，全国各地相继发生了多起房屋倒塌事故，给人民生命财产造成严重损失。1997年7月12日上午9时30分，浙江常山县棉纺织厂职工宿舍楼的居民和往常一样，有的在打扫室内卫生；有的在打点行装准备出行；刚下夜班的女工正准备睡觉。一切都显得那么平静和安逸，突然，一声巨响，只见整个5层楼房就像人工爆破一样，在升起的黄色尘埃中粉碎性坍塌，成为一片瓦砾。这起事故导致36人遇难，仅3人幸存。建设部统计数据表明，从1992年到1996年短短4年间全国发生楼房倒塌事故79起，死亡262人，重伤218人。

连年发生楼房质量低劣以致塌楼的事故并非偶然。20世纪90年代以来，随着我国经济建设进入新一轮快速发展时期，有相当一批住宅工程质量是值得称赞的，但从整体看，质量情况始终不能尽如人意。"七五"期末工程质量合格率62%；"八五"期末工程质量合格率提高到82%。虽然合格率上升20%，但仍有近1/4的工程质量不合格，甚至是低劣的。

资料显示，全国每年约有2.7亿 m^2 的城市住宅竣工。就算是有1%的不合格，面积也要达到270万 m^2，约5万套住宅。加上历年的积累，数字就更大了。这将是多少个工程，要影响多少住户！这几年，住宅工程质量问题始终是投诉的热点，群众反映十分强烈。1997年7~8月，仅中国质量万里行投诉办公室就收到住宅质量联名集体投诉55件，

涉及1300多户居民，比1996年多了一倍。2000年以后住宅质量投诉率仍然居高不下，房屋倒塌事故时有发生，给人民生命财产造成了巨大损失。

以上案例和数据足以证明建筑安全的重要性和对住宅结构安全评估的重要性。

(二)建筑防火

这些年频频发生的重特大火灾所造成的人员及财产重大损失，让我们触目惊心。火灾是除了建筑结构安全之外最容易引起灾难性事故的一个方面，一旦发生火灾即使求助及时也不可避免会造成财产损失甚至人员伤亡，因此住宅建筑防火应以防为主、以救为辅。

由于住宅建筑层数不同、平面布置的类型不同、建筑构件的使用材料不同、建筑周围的环境不同，因此影响建筑防火的诸多因素决定了建筑防火这一问题的复杂性。尽管在指标体系中分项指标很多，但总的来说有以下几个方面的内容：①审批文件；②总平面布置；③建筑耐火等级及防火分区；④建筑构造；⑤安全疏散；⑥内部装修；⑦消防设施。

有关建筑防火的评价我们将在本书第六章专门叙述。

(三)燃气、电气设备

1. 燃气系统的安全性

由于燃气泄露、燃烧不充分或通风不畅造成的人身伤亡、影响身体健康的事例屡见不鲜，因此燃气系统是否安全是关系到居民人身健康、生命安全的大事。

燃气泄露涉及燃气管道及阀门的气密性，一方面是指管道及阀门自身的质量，另一方面是指安装施工的质量，只有当两者的质量同时符合要求才能保证管道及阀门的气密性，在这一问题上绝不能马虎，否则会酿成大祸。

燃气燃烧是否充分与燃气质量和种类、燃气器具密切相关，燃气质量和种类不在我们讨论范围内，但燃气器具我们不得不给予关注。首先，在正常使用情况下(通风良好，以保证足够的氧气；压力正常，以保证足够的压力)，燃气器具应具有使燃气充分燃烧的质量保证；其次，燃气器具应具有熄火保护装置和燃气泄露自动报警系统。

2. 供电线路的安全性

由供电线路引发的火灾也是在日常使用过程中影响住宅安全的一大隐患，其原因是电气线路过细、分支回路过少，加之线路长期过载、绝缘性能降低导致短路。更深层次的原因是我国过去发电量、供电量有限，为保证工农业用电的需要，政府采取限制居民用电的政策，使得住宅供电线路配备标准相对较低。

随着我国经济的发展，人民群众的生活有了很大提高，各种家用电器已普遍走进普通居民的家中，居民用电量激增，而我国能源设施建设近十几年的飞速发展使发电量、供电量已大大增加，供电量已经能够满足甚至超过需求量。在这种情况下，住宅供电线路的设计考虑用电负荷快速增长因素，加大线路干线截面、增加分支回路和插座数量就成为必然。同时，为提高我国居民电气应用的安全水平，供电系统的设计须采用专用的PE线接地方式及"总等电位联结"。"总等电位联结"可降低住宅楼内的接触电压，消除沿电源线路导入的对地故障电压的危害，也是防雷所必需的。

除设计满足安全要求外，电气线路的施工质量、电气材料和设施的质量也是影响电气安全的重要因素，因此其质量也要严格控制。

(四)住宅水环境安全

水是生命之源,我们的生活也无时无刻离不开水。所以,关注水环境安全也就是关注我们的生命安全,这也是我们要对住宅水环境安全评估的重要性和意义所在。住宅水环境包括生活饮用水系统、景观水体系统和中水系统,其各种水质标准主要指标见表4-1～表4-4。

表 4-1　住区生活饮用水水质指标

项目	指标数
色度	≤15 度,无异色
浑浊度	≤1 度
味	无异味、臭味
肉眼可见物	无
细菌总数	100 CFU/mL
总大肠菌数	0 CFU/100 mL
游离余氯(用户端)	≥0.05 mg/L
硝酸盐(以 N 计)	20 mg/L

表 4-2　饮用净水水质标准

项目	指标数
色度	5 度
浑浊度	≤1 度
细菌总数	50 CFU/mL
总大肠菌数	0 CFU/100 mL
游离余氯(用户端)	≥0.05 ~ 0.08 mg/L
高锰酸钾消耗量(CODmu 以氯计)	2 mg/L
硝酸盐(以 N 计)	10 mg/L

表 4-3　中水水质指标

项目指标	冲厕、道路清扫、消防	绿化	洗车
色度(度)	≤30	≤30	≤30
臭味	无	无	无
浊度(NTU)	≤10	≤20	≤5
BOD_5(mg/L)	≤15		≤15
COD_{Cr}(mg/L)	≤50	≤60	≤50
氯化物(mg/L)	≤350	≤350	≤300
阴离子表面活性(mg/L)	≤1.0	≤1.0	≤0.5
溶解氧(mg/L)	≥1.0	≥1.0	≥1.0
游离余氯(mg/L)	用户端≥0.2	用户端≥0.2	用户端≥0.2
总大肠菌群(个/L)	≤100	≤100	≤3

表 4-4　住区景观用水水质标准

项目	指标数
色	不应有明显异色
浑浊度	≤5度
臭味	无
透明度	0.5 m
漂浮物	不得含有漂浮的浮膜、油斑和聚集的其他物质
溶解氧	＞3 mg/L
生化需氧量(5 天，20℃)	≤8 mg/L
总磷	≤0.05 mg/L
氨氮	≤0.5 mg/L
总大肠菌群	＜10 000 个/L

此外，供水管道所用材料、铺设方法应符合标准，管材、管道附件与设备等供水设施应防止对水的二次污染。

直饮水应采用独立封闭的循环管网，经过净化处理的水质应符合表 4-2 的规定，并建立定期送检制度，设置安全报警装置。

另外，中水系统应独立设置，严禁中水接入生活饮用水系统供水管道内。

中水系统的建设应与住区的污水系统、雨水回用系统和景观水系统建设统一考虑，综合布置，统一利用。

(五)日常安全与防范措施

日常安全与防范措施分为两个方面，一是防盗设施，二是防滑防坠落措施。

1. 防盗

任何一个社会，不论其文明程度如何，都存在社会治安问题。尽管中国的刑事犯罪率较低，但也时有入室盗窃案件发生，居民对这种事情比较关注。日常防盗安全主要是靠安装防盗设施和物业管理共同作用来保证。

防盗设施主要包括以下几个方面。

1)周界防范系统

主要对小区非出入通道的周边区域进行监视和管理，目的在于防止非法入侵。周界的范围大，不同的小区周界条件和环境也不同，往往单靠人防很难实行全面而有效的管理。而周界防范系统可对小区周界区域实施 24 h 实时监控，并进行计算机化管理，使管理人员能及时准确地了解小区周边环境的实际情况，遇有非法入侵能自动报警，自动记录警情及自动转发报警；配以图像监控能实时而直观地观察和记录布控现场的实际情况，为警情核实及警后处理提供切实可靠的资料。

2)电视监控系统

采用电视监控系统后能对出入小区的人员、车辆及小区公共场所的实际情况进行实时而全面的了解和记录；强化小区管理，避免人为管理的不便和失误，提高小区管理的效率和水平。

3)出入口管理系统

主要包括小区的主要出入通道、车库、小区公共场所及住宅单元出入口等的管理和监控。目的在于对出入小区及小区内的人员和车辆进行管理，防止非法行为的发生，住宅单元出入口为有限的多家住户共享，它的管理主要是控制人员的进入，要求保证户主进出方便自如，对外来人员实行有限的许可进入(户主的许可)，带有明显的私人性质。小区出入口及车库(露天或地下)的防范和管理要求小区管理部门在为住户提供最大方便、减少不必要纠纷的同时，了解和掌握出入小区内的人员及车辆的实际情况，对可能发生和正在发生的警情做出及时而准确的判断和处理。车库出入口管理系统在有效管理车库的同时能对出入的车辆进行监视和控制。

4)家庭防范及可视对讲系统

家庭防范主要是对私人住宅的安全防范，目的在于防止入室盗窃、入室抢劫等恶性案件的发生，主要包括防盗报警、门窗开关探测器及突发事件紧急呼救等。家庭防范是小区防范中极为重要也极为困难的部分，它要求提供安全服务的同时严格维护住户的私人权利。安全防范首先要求系统能自动地对发生的案情做出及时准确的探知并对外报警和呼救，对突发性事件进行紧急求助，具有分级管理、多级联网的特点。根据需要进行局部区域或全范围的设防，实现多级联网报警和管理控制功能。

5)电子巡更系统

电子巡更系统是利用先进的碰触卡技术开发的管理系统，可有效管理保安巡视活动，加强保安防范措施。

2. 防滑防坠落措施

在日常生活当中，人从幼年到老年的生长过程中会发生很多意外，如滑倒、被坠落物砸伤、跌落等，在这些意外当中有些是设计不严格执行规程、施工质量差等造成的必然结果，如设计严谨、施工精心，有些意外是完全可以避免的。防滑防坠落措施包括：

(1)阳台、楼梯、上人屋面栏杆(女儿墙)高度、竖向栏杆间净宽应符合规范要求，并且应有防攀登措施。

(2)室内外装修、装饰物牢固。

(3)厨房、卫生间及其他房间地面的防滑措施。

(4)室内外高处放置物(如花盆等)应有防坠落措施。

二、目前所存在的评价方法

针对商品住宅建筑结构安全及防火安全目前都有国家强制标准作为保证，同时这也是工程验收指标体系的重要组成部分。所以，可以认为依据国家强制标准对此两项进行严格的评价，是最好的评价方法。

而对住宅安全性能评价指标体系中有关燃气、电气安全、水环境安全与日常安全与防范措施的评价目前尚无专门的评价方法。所以，目前在实际操作中只能依据一些工程设计验收规范对这些内容进行评估。但由于这些规范所涉及到的指标过于繁杂，我们不可能在进行有关住宅安全性能评价时对这些指标逐一评价。

鉴于此，在做住宅安全性能评价体系设计时，应对这些指标做认真的分析比较，选择一些重要指标作为评价对象。同时也考虑到在实际中的可操作性，力求做到简洁实用。

三、评价方法及标准

由于这是一个系统评价体系的一部分，住宅安全性能评价体系中有关建筑结构安全、防火安全我们将在本书其他章节单独叙述。在本章节中我们只讨论住宅燃气、电气安全、水环境安全与日常安全及防范措施的评价方法及标准。见表4-5。

表 4-5 住宅安全性能评价指标及评分细则

评分项目	评价指标	所占分值	得分				结果
			分值	良好	合格	不合格	
电气安全	1. 电气产品、材料必须为符合现行技术标准的合格产品	24	3	3	2	0	
	2. 电气布线宜采用暗管敷设，导线在管内不应有接头和扭结，导线距电话线、闭路电视线不得小于 50 cm，吊顶内不允许有明露导线，严禁将导线直接埋入抹灰层内		3	3	2	0	
	3. 灯头做法、开关接线位置正确，厕浴间宜选用防潮开关和安全型插座，有接地孔插座的接地线应单独敷设，不得与工作零线混同，接地保护应可靠，导线间和导线对地间的绝缘电阻不得低于 0.5 Ω，面向电源插座时应符合"左零右相，接地在上"的要求		3	3	2	0	
	4. 开关、插座安装牢固，位置正确，盖板端正，表面清洁，紧贴墙面，四周无空隙，同一房间开关或插座上沿高度一致		3	3	2	0	
	5. 漏电开关安装正确、使用正常		3	3	2	0	
	6. 开关、插座、终端盒等器件外观完好，绝缘器件无裂纹，安装牢固、平正，安装方式符合规定		3	3	2	0	
	7. 并列安装的开关、插座终端盒允许偏差，但暗装开关、插座、终端盒的面板、盒周边的间隙应符合规定		3	3	2	0	
	8. 弱电系统功能齐全，满足使用要求，器具安装牢固平正		3	3	2	0	
燃气安全	1. 住宅内燃气管道和其他用气设备设置应符合现行国家标准《城镇燃气设计规范》(GB50028—93)	25	5	5	3	0	
	2. 安放燃气器具的地方应通风良好		5	5	3	0	
	3. 在正常使用状态下燃气压力正常		5	5	3	0	
	4. 燃气应具有使燃气充分燃烧的质量保证		5	5	3	0	
	5. 燃器具应有熄火保护装置		5	5	3	0	
水质安全	1. 饮用水水质(参见表4-1)	20	5	5	3	0	
	2. 饮用净水水质(参见表4-2)		5	5	3	0	
	3. 中水水质(参见表4-3)		5	5	3	0	
	4. 景观水体水质(参见表4-4)		5	5	3	0	

评分项目	评价指标	所占分值	得分			结果
			分值	良好	合格	不合格	
防滑防坠落措施	1. 阳台、楼梯、上人屋面栏杆(女儿墙)高度、竖向栏杆间净宽应符合规范要求，并且应有防攀登措施	11	3	3	2	0	
	2. 室内外装修、装饰物牢固		3	3	2	0	
	3. 厨房、卫生间及其他房间地面的防滑措施		3	3	2	0	
	4. 室内外高处放置物(如花盆等)应有防坠落措施		2	2	1	0	
日常防范措施	1. 设置出入口及周边安防和电视监控系统	20	4	4	2	0	
	2. 设置电子巡更系统		4	4	2	0	
	3. 设置可视对讲与门控系统		4	4	2	0	
	4. 设置供电、公共照明、供水、消防、车库等公共设施的电视监控系统		4	4	2	0	
	5. 设置住户内安防和紧急呼救报警系统		4	4	2	0	

四、此评价系统所存在的缺陷

在设计此评价系统的过程中，参考了许多国家、行业标准及规范。由于住宅安全性能评价的主要目的是对住宅安全性能作一个整体的、概括的说明，不可能也没有必要对这些标准和规范中所涉及到的子项逐一进行评价，只能选取其中一些具有代表性的、方便操作的指标作为评价标准，这是本书做此评价的设计理念。所以，此系统存在以下两个主要缺陷。首先，不可能翔实地反映有关住宅安全的每一个细节；再者，由于有许多定性的指标存在，从而在实际操作中人为的干涉因素较多，影响了评价结果的客观与公正性。

五、住宅安全性能评价前景及展望

住宅安全性能包含了许多方面，燃气、电气安全、水环境安全与日常安全及防范措施是其中的主要方面。随着科技的发展，越来越多的新能源、新技术将会被运用到建筑工程领域，随之也就会产生许多有关住宅安全性能方面的新问题。这就需要我们有关部门及从事住宅安全性能评估的研究人员密切关注这些随时发生的新问题，及时提出解决方案，从而使住宅安全性能评价系统能真正反映住宅安全性能等级，更好地为市场和消费者服务。

第五章　住宅小区配套设施评价

一、评价的目的和意义

住宅小区配套设施指居住区内除建筑物之外的其他建筑设施，主要为居民生活配套的服务性建筑。它是居住区生活环境的物质基础。

人的生活有多方面的需求，每一方面的需求又包含多样内容。拿最基本的生理需求来说，就有衣、食、住、行等多方面的内容。然而，人仅依靠自己的力量是不可能满足这些需求的。所以，以往人们是通过群体互助来维持生活的。

随着城市化、商品化的发展，人的各种需求要求越来越高，文娱教育交往等高层次的物质与精神需求日益占据生活的主导地位，现代人的生活复杂性与多样性只有社会才能满足。而居住区的配套设施对居民来说是生活环境中基本的、普遍的和日常不可缺少的设施。居住区是城市中相对独立的基本生活居住单位，其效能的发挥有赖于配备一套完整的公共配套建筑设施，这些配套建筑理应满足人们的种种行为需求。

配套设施承担着具体的社会服务任务，配套设施设置数量、设施水平及服务内容等决定了居住区的生活环境质量，公共配套建筑设施的实际使用效果应能使居民感到方便，形成安居乐业的气氛。

与城市配套设施相比，居住区配套设施具有规模小、项目多、与居民日常生活关系密切、服务半径小等特征。在城市公共社会服务系统网络中城市配套设施作为基层设施维持着城市的正常运转。它们可能出现功能上的交叉，如位于城市街道上的商场、饭馆(店)、影院以及学校等，同时承担为城市服务的功能，而位于居住区附近的城市性公共建筑如百货大楼、邮局等能为居住区居民服务，起到相互替代的作用。

随着住房制度的改革，全国各地兴建了一大批居住小区，这在很大程度上满足了人们改善居住条件、提高生活质量的需要。然而，各居住小区开发水平参差不齐，有些小区规划建设得十分合理，能满足人们各方面的需求；有些小区则有天生的缺陷，居民入住后生活十分不便，如购物不便、入校不便等。但是各开发商对外广告宣传时往往大肆宣扬其配套设施的完善、生活方便等。事实往往并非如开发商所言，如某开发商称其一小区周围有市级重点小学，儿童可以就近入学，而居民入住后发现该校已经人满为患，根本无法容纳多余的学生，学生必须到较远的小学入校；又如某开发商称其一小区交通方便，而实际上最近的公交站点也有 1 000 m 之远，搭车十分不便。也有一些小区的规划看似较好，但其规划未考虑以后的发展即可持续发展，同样会对居民的生活造成一定的不便。如某一小区配套设施齐全，居民入住后十分满意，而几年后问题出现，小区内车库有限，居民汽车拥有量过大，车辆无处存放占用道路、广场绿地等，给那里的居民带来了极大的不便等。这些例子十分多，不胜枚举。

开发商随意宣传，而普通的消费者则处于弱势地位，由于他们的知识、精力及能力有限，不能对配套设施这一方面做一个比较客观正确的评价，以指导自己的购房行为，他们往往不做细致的分析便草下结论，或者即使他们努力去考虑这个问题，也可能考虑不周全，做出不太合理的判断。另外，现在开发商喜欢炒作概念，如文化型社区、运动型社区、休闲型社区等，着重强调了某一些方面，引诱消费者购房。如果消费者不能多方面权衡利弊，这会对他们以后的生活质量埋下隐患。目前，社会上还没有一套对配套设施进行综合量化评价的评价体系，能对居住区配套设施的规模、布置、数量、种类及质量进行综合量化评价，以供消费者参考。因此，对住宅小区配套设施进行较深入的研究，构筑一个考虑居住区配套设施的规模、布置、数量、种类及质量等各方面的评价体系，进而可以成立一个专门的配套设施评价机构，对住宅小区的配套设施进行专业的、综合性的、客观的评价，这对服务广大消费者、约束房地产开发商、净化房地产开发市场不良宣传行为有重要的意义。

二、配套设施的分类

居住区配套设施建筑种类繁多，有各自不同的使用功能、性质、特点及环境要求。依据配套设施的性质，国内外建筑界将配套设施建筑分为 6 类，细分如下：

(1)商业服务设施——是配套设施中与居民生活关系最密切的基本设施，主要有菜市场、饭馆(店)、早点摊、综合超市、综合市场、商场、储蓄所、邮局等。

(2)保育教育设施——是学龄前儿童接受保育、启蒙教育和学龄青少年接受基础教育的场所，属于社会福利机构，包括托儿所、幼儿园、小学、中学等。

(3)文体娱乐设施——是充实和丰富居民业余文化生活，提供活动交往的场所，包括文化馆、文化活动站、电影院、运动场所等。

(4)医疗卫生设施——主要有卫生站、门诊部、医院等。

(5)公共设施——主要有自行车库、汽车库、垃圾站、公共交通站、公厕等。

(6)行政管理设施——主要有物业管理公司等。

三、配套设施的评价

以上对配套设施评价的目的和意义及以往相关研究进展进行了大致的回顾，下面从各方面确定评价的标准。

(一)保育教育设施

保育教育设施有托儿所、幼儿园、小学和中学。现在托儿所与幼儿园往往设在一起。托儿所、幼儿园的儿童年龄小，须由大人接送，所以离家不能太远。另外，幼儿园、托儿所应设在居民上下班顺路的地方，方便接送；还要求应布置在环境安静、接送方便的地段上。幼儿园的总平面布置要保证活动室与室外活动场地有良好的朝向，室外有一定的活动场地，以供儿童室外活动。建筑层数以 1、2 层为宜。

小学理应设在小区内部，排除城市交通对小学生来往学校路上的威胁，服务半径可达到 300 m 左右。中学生不骑自行车上学，中学服务半径可在 500 m 以上。

经过仔细调查现在的房地产开发水平发现，大部分较大规模的小区内部都配置有托儿所、幼儿园，且托儿所与幼儿园几乎都设在一起，而且规划设计标准大都不错。但有一些规模较小的小区无托儿所、幼儿园，有些依托附近托儿所、幼儿园尚可解决问题，不会给业主带来过大的麻烦。更差的是有些小区附近也无托儿所、幼儿园供少儿入托，给业主带来了很大的不便。

经过一段时间的调查之后发现，现在大部分住宅小区无小学与中学，都依靠附近的街道小学，有的离校很近，步行 10 min 左右可到达；有的特别远，先要步行几百米，再搭公交车，算下来到校得 30 min 左右，非常累人。也有一些较大的小区配有小学甚至中学，儿童上学十分方便。另外，学校的质量也相差较大，有的是市重点小学，教学设施、师资、教学质量都很好；有的是区级重点小学，教学水平、师资各种设施也都很不错；而有的只是普通中学，师资、教学设施有限，教学质量一般。更差的是一些村办小学，教学设施差，师资薄弱，教学质量不尽人意。

因此，依据现在的实际情况，对托儿所、幼儿园设施，及小学、中学等保育教育设施拟定以下评价标准，从质量与距离远近两方面考虑(见表 5-1)。

表 5-1　保育教育设施评价标准

	项目	A 级	B 级	C 级	D 级
托儿所、幼儿园	距离远近	150 m 左右，设于小区内	设于小区内，距离 300 m 以下	小区附近，距离小于 500 m 且顺路	小区附近无此类设施，儿童入托难
	质量	设计超过国家设计标准，提供多方位教育，如双语教学等，教育质量一流	达到国家设计标准，教育质量好	设计不能达到国家标准，班级稍微超员，教育质量一般	设计水平低，超员严重，教育质量差
小学	距离远近	设于小区内部或距家 500 m 以下	小区附近，道路交通安全，离家 1 000 m 以下	离家远，需搭公交车，共需 20 min 以下	离家远，需搭公交车，共需 30 min 以下
	质量	市级重点，教育设施先进，师资雄厚，教育质量一流	区级重点，教育设施比较先进，师资充足，教育质量高	普通小学，教学设施一般，师资力量一般，教育质量一般	教学设施落后，师资力量薄弱，教育质量差
中学	距离远近	设于小区内	小区附近，道路交通安全，离家 1 000 m 以下	离家远，需搭公交车，共需 20 min 以下	离家远，需搭公交车，共需 30 min 以下
	质量	市级重点，教育设施先进，师资雄厚，教育质量一流	区级重点，教育设施比较先进，师资充足，教育质量高	普通中学，教学设施一般，师资力量一般，教育质量一般	教学设施落后，师资力量薄弱，教育质量差

同时，也设计了一个保育教育设施评价表格(见表 5-2)。

由于对各分项评价是定性评价，对总的保育教育项目进行评价时拟采用百分制，因此需进行加权计算。在加权时，将各评级换算成分数进行加权，即将 A 级视为 90 分、B 级视为 80 分、C 级视为 70 分、D 级视为 0 分，然后进行加权计算出总的分数。

表 5-2　保育教育设施评价表格

项目		实际情况描述	打分	加权系数	实际分值
托儿所、幼儿园	离家远近			0.15	
	质量			0.15	
小学	离家远近			0.20	
	质量			0.20	
中学	离家远近			0.15	
	质量			0.15	
总分				1.00	

(二)医疗卫生设施评价

医疗卫生设施是居民所必需但利用率不高的设施，主要包括卫生站、门诊部、医院等。调查发现，绝大部分住宅小区内设有卫生站且水平不相上下，因此对医疗设施评价时不把卫生站列为评价对象。而门诊部往往和医院设在一起，因此评价时仅将整个医疗卫生设施列为一项评价，评价时考虑两个方面：距家的远近和医疗卫生设施的质量。因此，特拟定医疗卫生设施评价标准见表 5-3。

表 5-3　医疗卫生设施评价标准

项目	A 级	B 级	C 级	D 级
距家远近	距家 500 m 以内	距家 1 500 m 以内	距家 3 000 m 以内	距家 3 000 m 以上
质量	市级重点综合性医院，医疗设施一流，医疗服务一流	区级综合性医院，设施好，医疗服务水平高	一般普通医院或专科型医院，设施不齐全，服务一般	社区型医院，或乡镇级医院，设施落后，不能提供多方位服务

同样，设计了医疗卫生设施评价表格(见表 5-4)。

表 5-4　医疗卫生设施评价表格

项目	实际情况描述	打分	加权系数	实际分值
距家远近			0.4	
质量			0.6	
总分			1.0	

由于对各分项评价是定性评价，对总的医疗卫生设施项目进行评价时拟采用百分制，因此需进行加权计算。在加权时，将各评级换算成分数进行加权，即将 A 级视为 90 分、B 级视为 80 分、C 级视为 70 分、D 级视为 0 分，然后进行加权计算出总分。

(三)公用设施评价

公用设施包括很多项目，如自行车存放处、汽车停放位、垃圾站、公交站点、变电室、煤气调压站等。其中有几个与居民的日常生活息息相关，如配置不当会给居民的日常生活带来很大的不便。这里仅对影响居民生活较大的几项作为评价对象进行评价。

1. 自行车存放处

作为当前居民的主要交通工具，城市里自行车拥有量惊人，户均 2 辆左右，并且短期内这一数据不会减小。自行车在小区内的存放成为十分棘手的问题。目前，新建的小区内一般不设集中的自行车车库，而是分散布置、规划出自行车存放位或自行车车库，存在的主要问题有以下几点：有的小区自行车停放位不够，导致居民随意停放车辆，占用道路绿地等；有的虽然数量足够但设置位置不当，居民认为离家太远或要走回头路等而不愿存放，结果仍是随意存放。经验表明，自行车位的设置位置与居民的存放与否关系甚大。它的位置宜接近住宅，到每户的距离宜在 150 m 之内，并不应与上下班反方向，比较适宜的位置应该是在住宅楼下、组团的出入口等。

2. 汽车停放位

近年来，随着我国经济的快速发展，我国城市居民汽车拥有率大幅度提高，20 世纪80 年代或 90 年代建设的一些住宅小区因未能考虑到这一因素，汽车位设置太少，问题已经出现。如前所述，小区内车满为患，车辆占用道路绿地等为居民的日常生活和安全带来了诸多不利。对未来汽车的拥有率很难预测，一般来说，当个人年收入超过一定水平之后就会产生对私人汽车的追求。发达国家经验表明，当人均国民生产总值达到 700～900美元时小汽车开始进入家庭，而我国一些较大城市居民收入已经达到这一水平。可以预见，将来城市居民汽车拥有率一定不低，因此小区规划时必须充分考虑这一因素。

调查发现：各小区内汽车位设置数量差别较大，先进的已经达到户均 1 辆，比较先进的已经能达到户均 0.5 辆以上，户均 0.3 辆比较普通，而户均低于 0.2 辆则已十分落后。各小区停车位的设置方式也大有差别，先进的全部置于地下，而落后的全部置于地上。目前认为车位设于地下可以为地面节省出更多活动场所，营造良好的生活环境。布置位置也有差别，有的规划合理，使用率较高，居民不随处停放；规划不当的居民不乐意存放，造成有车库不用而随意存放的情况。所有这些，在评价时都将作为评价因素。

3. 公交站点

对公交站点的评价也从两方面入手：经过小区附近的公交路数与距家的远近。一般说来，小区附近经过的公交车路数越多越好，距家越近越好。经调查发现，交通比较方便的小区附近有公交车路数达到 10 路以上，而交通不便的附近仅有 1～2 路或者没有公交车经过。关于合适的距离，一般认为应在 500 m 以下。

4. 燃料供给设施

燃料的供给情况带给居民的使用效果也是不一样的，如使用天然气与使用煤制气的感受是不一样的，同样使用罐装气与煤球的感受又是不大一样的。为此，评价时把这些作为评价因素加以考虑。

以上对影响居民生活环境与质量的比较重要的几项公用设施进行了简单的分析，现拟定公用设施评价标准见表 5-5。

表 5-5　公用设施评价标准

项目		A 级	B 级	C 级	D 级
自行车停放处	数量	户均 2 辆左右	户均 1.6 辆以上	户均 1.2 辆以上	户均 1.2 辆以下
	设置位置	设于住宅楼下	设于住宅组团出入口,或它处距家 50 m 以下	设于它处,距家 150 m 以下且顺路	设于它处,距家 50 m 以上不顺路,或距家 150 m 以上
汽车停放位	数量	户均 0.8 辆左右	户均 0.5 辆以上	户均 0.2 辆以上	户均 0.2 辆以下
	设置位置	设于住宅楼下	设于住宅组团出入口,或它处距家 50 m 以下	设于它处,距家 150 m 以下且顺路	设于它处,距家 50 m 以上不顺路,或距家 150 m 以上
	设置形式	地下车位占总车位 80% 以上	地下车位占总车位 50% 以上	地下车位占总车位 20% 以上	地下车位占总车位 20% 以下
公交站点	经过路数	7 路及以上	5、6 路	3、4 路	0、1、2 路
	离家远近	200 m 以下	350 m 以下	500 m 以下	500 m 以上
燃料供给设施		天然气直达入户	煤制气直达入户	使用罐装气,供应充足,灌装方便	使用煤球

同样也设计了一个公用设施评价表格(见表 5-6)。

表 5-6　公用设施评价表格

项目		具体情况描述	评级	加权系数	实际分值
自行车停放处	数量			0.15	
	设置位置			0.1	
汽车停放位	数量			0.15	
	设置位置			0.1	
	设置形式			0.1	
公交站点	经过路数			0.15	
	离家远近			0.1	
燃料供应设施				0.15	
总分				1.00	

由于对各分项评价是定性评价,对总的公用设施项目进行评价时拟采用百分制,因此需进行加权计算。在加权时,将各评级换算万分数进行加权,即将 A 级视为 90 分、B 级视为 80 分、C 级视为 70 分、D 级视为 0 分,然后进行加权计算出总分。

(四)文化娱乐设施的评价

按照我们的习惯,居民的业余时间大部分是在居住区内度过的。居住区内应设置足够的文化娱乐设施以供他们在紧张工作和学习之余到这里松弛一下,借以丰富生活、陶冶情操、消除疲劳。然而由于个体之间的差异性,不同人有不同的需求,有的希望能和街坊朋友们打牌、聊天、下棋,有的喜欢坐在图书室内读书,也有的喜欢利用闲暇时间打篮球、乒乓球等以锻炼自己的身体。为满足他们多方位的需求,小区内文化娱乐设施的设置越全面越好,离家越近越好。经调查发现,各小区之间文化娱乐设施配置差别较大,且文化娱乐设施项目繁多,评价时采用打分的形式,力求对文化娱乐设施来一个全面综合和准确的评价。为此,特拟定了一个文化娱乐设施评价表格(表 5-7)。

表 5-7　文化娱乐设施评价表格

项目	附加说明	最高分值	实际情况描述	实际打分
儿童游乐设施	小区内以离家 150 m 以内有效，以具体情况适当打分	10		
老年活动中心	小区内有效，适当打分	8		
青少年活动中心	小区内有效，以具体情况适当打分	8		
图书室		8		
户外健身设施	以离家 100 m 以内有效	10		
健身房	设于小区内有效，依据设置数量、质量、远近等适当打分	8		
游泳池		8		
户外乒乓球场		8		
羽毛球场		8		
排球场		8		
篮球场		8		
网球场		8		
总和		100		

(五)金融邮电设施评价

小区内或小区附近如果没有金融邮电设施同样也会给人们带来不便，因此需要对金融、邮电设施进行简单的评价。由于各个银行储蓄所之间、各邮电局邮电所之间的业务和服务相差不大，在评价时仅考虑远近这一单一因素，为此拟定金融、邮电设施评价标准见表 5-8。

表 5-8　金融、邮电设施评价标准

项目	A 级	B 级	C 级	D 级	实际情况描述	实际评级	加权系数	实际分值
邮局邮电所	150 m 以内	350 m 以内	500 m 以内	500 m 以上			0.5	
银行储蓄所	150 m 以内	350 m 以内	500 m 以内	500 m 以上			0.5	
总和							1.0	

由于对各分项评价是定性评价，对总的金融、邮电设施项目进行评价时拟采用百分制，因此需进行加权计算。在加权时，将各评级换算成分数进行加权，即将 A 级视为 90 分、B 级视为 80 分、C 级视为 70 分、D 级视为 0 分，然后进行加权计算总分。

(六)商业服务设施的评价

在居住区各类公共配套设施中，商业服务设施占有相当大的数量，内容丰富，项目众多，且与居民的日常生活关系最为密切，它的配置情况直接影响到居民的日常生活，因此对它的评价十分重要也十分困难。为了能较好地对影响人们生活质量的方方面面的各类商业服务设施做一个全面综合的评价，特意设计了一个评分表格，以评分的形式进行评价(见表 5-9)。

表 5-9　商业服务设施评价表格

项目	服务内容	附加说明	实际情况描述	最高分值	实际打分
粮油店	粮油及其制品	距家 150 m 内有效，以具体情况适当打分		6	
菜店	大宗蔬菜肉蛋等			9	
菜市场	鱼肉禽蛋菜水产，调味品与熟食等	距家 500 m 内有效，适当打分		7	
早点小吃部	早点主食与快餐	距家 150 m 内有效，依据实际情况适当打分		8	
食品店	糖烟酒干鲜果及熟食			4	
小饭铺	早点主食与正餐			7	
饭馆	快餐炒菜与正餐	500 m 内有效		6	
小百货店	日用百货	150 m 内有效		8	
综合百货商场	日用百货、鞋帽、服装、五金及家用电器	3 000 m 内有效		5	
照相馆	照相	1 000 m 以内有效		3	
服装店	各类服装			4	
服装加工店	服装裁剪加工			3	
日杂商店	土产、日杂	150 m 内有效		3	
中西药店	各类药	500 m 内有效，以具体情况适当打分		5	
理发店				4	
浴池				3	
洗染门市部	干湿洗等			3	
书店				5	
自行车修理部				3	
综合修理部	各种电器物品维修	1 000 m 内有效，适当打分		2	
物资回收部	废旧物品回收			2	
总分				100	

在评价时可能出现以下情况，即上述项目住宅附近可能没有，但其他项目可能提供相应服务，那么在相应项目下打分，比如说如果附近有综合性超市提供多方位的服务，

那么在相应的有相同服务的上述项目下打分。

(七)综合评价

在计算出各项分数后,需计算出总的分数,仍然采用加权法,评分表格设计见表 5-10。

表 5-10　综合评价表格

项目	评分	加权系数	实际分值	附加说明
保育教育设施评价		0.30		
医疗设施评价		0.10		
公共设施评价		0.15		
文化娱乐设施评价		0.15		
商业服务设施评价		0.25		
金融邮电设施评价		0.05		
总分		1.00		

四、该评价方法实施可行性分析

该评价方法比以往评价方法如 3A 论证,对配套的评价更有实施的可行性,具体表现为以下几点:

(1)评价标准清楚具体,可以使人客观地进行评价,以避免人为因素过大干扰而使结果客观性不强;而以往的评价标准语言模糊笼统,让人难以捉摸,容易导致评价结果客观性不强。同样由于评价标准比较具体,评价人员的专业性要求不高,降低了门槛,普通居民也可用此评价方法对小区的配套设施进行简单的评价;而以往评价标准对人员要求非常高,非专业人员不能准确把握。

(2)评价标准定得比较全面,把影响住宅小区环境质量的绝大部分配套设施都作为评价因素,进行了比较细致全面的分析,定下比较全面的评价标准;而以往评价标准定得比较粗略,不能全面地对小区的配套设施进行综合的评价。

当然,由于水平、时间所限,还有以下问题尚待解决:

(1)评价标准定得是否合理。评价标准定得是否合理需要时间的证明,而该评价标准还未经过实践的验证,有些局部的评价标准定得可能不太合理,还需要斟酌以使其更加合理。

(2)各项权重的确定。加权时采用主观加权法,目前认为不太合理。对此有必要进行重新研究,客观确定各分项的加权系数。

(3)对一些细节问题,如室外健身设施的质量和数量、乒乓球台的数量等一些具体的东西未作细致的量分标准,只给出了总分,这同样能造成一定的不确切性,导致评价结果的偏差,如能对一些细节问题加以完善则更好。

总之,虽然该评价方法有一些不足,但由于其比以往评价方法更有具体性、易操作性,适宜于目前的住宅配套设施评价。

第六章 建筑防火评价

一、评价的目的和意义

近年来，经济的迅猛发展、城市化进程的加快、城市人口的剧增，促进了建筑业的蓬勃发展。据统计，对于建筑物的外加灾害，火灾是发生频率最高、造成损失最严重的一种。如今，建筑规模越来越大、高度越来越高、功能越来越复杂、装修越来越高档，在这种情况下，一旦建筑发生火灾，必将造成惨重的人员伤亡和财产损失。而且，火灾的发生除了会造成直接有形的损失外，其间接无形的损失往往更大。例如广东省在 1990 年火灾直接损失为 9 000 万元，间接损失为 75 亿元；1991 年火灾直接损失上升为 1.07 亿元，间接损失为 91.88 亿元。应该说，社会越进步、建筑越宏伟，对火灾也就越敏感。严重的火灾，可使交通中断、生产停顿，扰乱社会正常的秩序，甚至还会造成不安宁的社会影响。

根据工业发达国家 1980 年的统计，火灾直接损失平均占国民经济生产总值的 0.2% ~ 0.3%，每年火灾造成的人员死亡率约为 2/100 000。事实上，火灾带来的间接损失大大超过其直接经济损失。一般可将火灾造成的直接和间接经济损失、人员伤亡损失、扑救消防开支、保险费用以及防火工程费用等统称为火灾代价。根据世界火灾统计中心及欧洲共同体的研究，如果火灾直接损失占国民经济生产总值的 2‰左右，整个火灾代价将是国民经济总产值的 1%。

我国火灾形势也十分严峻，火灾发生的起数和造成的损失每年都呈上升的趋势。1983 ~ 1987 年平均年递增 40.7%。在 1993 年各类火灾统计资料中，共死亡 2 000 多人，直接经济损失约为 16 亿人民币。其中建筑火灾居首位，其直接经济损失达总火灾损失的 80%以上。据 1998 年全国火灾统计，共发生建筑火灾 52 749 起，占火灾总数的 63.1%；死亡 2 072 人，占火灾总死亡人数的 86.77%；受伤人数 3 892 人，占火灾总受伤人数的 79.41%；直接经济损失 10.93 亿元，占火灾总损失的 31.75%。1991 ~ 1999 年 6 月，在这 10 年期间我国共发生火灾 67.9 万起，造成死亡 22 469 人、受伤 41 809 人、直接财产损失 100 亿元。其特点除了公共场所和石油化工、易燃易爆场所火灾突出外，群死群伤的特大恶性火灾时有发生。如 1993 年 2 月 14 日唐山林西百货商场火灾死亡 84 人；同年 11 月 19 日深圳致丽玩具厂火灾死亡 89 人。1994 年 6 月 16 日广东省珠海市前山编织城火灾死亡 93 人；同年 11 月 27 日，辽宁省阜新市艺苑歌舞厅火灾死亡 233 人；同年 12 月 8 日，新疆自治区克拉玛依市友谊宾馆火灾死亡 325 人。1996 年 7 月 17 日，广东省深圳市端溪酒店火灾死亡 31 人。1997 年 1 月 29 日，湖南省长沙市燕山酒家火灾死亡 33 人。1998 年 1 月 3 日，吉林省通化市东珠宾馆火灾死亡 24 人。1999 年 1 月 20 日，天津市益商集团储运中心火灾烧死 8 人，坠楼摔死 8 人；同年 6 月 16 日，广东省深圳市智茂电器制品厂火灾死亡 16 人。2000 年 12 月，河南省洛阳市东都商厦特大火灾一次死亡 309 人。2002 年，我国共发生火灾 258 315 起，造成直接财产损失 18.4 亿元，死亡 2 393 人，受伤 3 414 人，比 2001 年火灾起数增加了 19.2%，直接财产损失增加了 9.7%。2003 年 11 月 3 日，衡阳大火致使 20 名消防员殉职，这些都是触目惊心的惨痛事例。

改革开放以来，我国城镇居民住宅建筑发展较快，住宅建筑已成为城市总体建设和发展的一个重要组成部分，尤其是党的"十五大"提出了加快城镇住房改革步伐以后，住房问题成了广大城镇居民关注的热门话题。能否为城镇居民提供一个安全舒适的居住环境，确保住宅建筑的消防安全，是关系着社会稳定和城镇居民安居乐业的大事，也是摆在设计部门、建设单位和公安消防机构面前的一个重要课题。所以，无论站在经济的观点、社会的观点乃至于政治的观点，建筑防火都是不可忽视的问题。

目前，世界各国对建筑防火安全性制定了各种法规和标准，但这些技术标准都是根据工程经验而制定的，缺乏科学和工程技术依据。例如日本建筑标准法以及施工规范中，都是根据经验来确定安全疏散楼梯、走道、出入口的技术指标。在规范标准中，对设计人员也没有提出专业防火技术知识的要求，仅是以典型建筑的技术指标为依据来制定规范。随着新技术的采用和建筑设计的创新，规范有些部分已不能适应现在的工程设计需求。例如，对最大步行距离的规定、安全疏散通道、烟气控制等，都需要重新修改。

为了适应现代防火技术的需求，使建筑形态多样化，繁荣建筑创作，就应采用科学的工程技术方法，对建筑防火的安全性做出技术性评价。因此，对建筑防火专家评价体系的研究是非常必要的。

二、国内外现状

建筑防火研究起源于 19 世纪的末期，自 1990 年德国人公布了第一批研究成果后，一直到第二次世界大战后的 20 世纪 40 年代和 50 年代，新工艺学的不断发展，才使得人们有可能在建筑设计中加入防火工程。

美国在 20 世纪 50 年代就成立了火灾研究委员会，并大规模地开展火灾机理和预防措施的研究。在其他一些工业发达国家，每年也都拿出相当可观的经费去资助防火研究工作。例如日本东京火灾研究所，每年用于火灾研究的正常运行费合人民币近亿元。

早在 1985 年，国际上就成立了"国际火灾安全科学协会"，并且已经分别在美国、日本和英国召开了三次国际火灾安全科学研讨会，参加会议的国家有 29 个之多。

"火灾安全学"是一门新兴的科学，更是一门综合性较强的交叉型的技术学科，其目的是防止和减轻各类火灾的损失。最近一二十年来，一些国家通过政府资助和国际间相互合作方式进行了诸如火灾物理、火灾结构、火灾化学、人与火灾的相互影响、火灾探测、自动灭火、火灾统计与保险系统、烟气的毒性、消防救援等方面的工作。这些工作极大地推动了火灾防护机理和防火、灭火技术工程的迅速发展。

如果说 20 世纪的建筑设计主要竞争于造型和功能要求的话，则 21 世纪建筑设计行业的核心竞争力将体现在预防灾害发生上。因此，包括防火在内的防灾设计是判定建筑设计方案好坏的重要条件之一。

建筑防火的安全水准和目标应该是明确的，即发生火灾的概率十分小。但确保安全水准实现的方法则是多种多样的，人们可以运用所有的现代科技手段进行有机的和创造性的组合。综观国内外防火设计的方法，性能设计是一种新型的防火系统设计思路，是建立在更加理性条件上的一种新的设计方法。它不是根据确定的、一成不变的模式进行设计，而是运用消防安全工程学的原理和方法，首先制定整个防火系统应该达到的性能目标，并针对各类建筑物的实际状态，应用所有可能的方法对建筑的火灾危险和将导致的后果进行定性、定量的预测与评估，以期得到最佳的防火设计方案和最好的防火保护。

性能设计是一个非常复杂的体系，它的实现需要各种社会环境和技术条件的支撑。性能化设计分以下几个步骤：

(1)防火安全目标。防火安全目标是安全系统最终应达到的总体效果，安全目标中还包括两个较为具体的项目，即性能目标和性能标准，性能目标是消防系统必须满足的建筑物在防火、灭火等方面的具体要求；性能标准则更加量化，它是指单个消防设备或整个系统的有关技术指标，性能标准所提供的临界值可以在设计方案中作为计算数据使用。

(2)分析建筑物内部的可燃物、人员等的具体特征，并确定设计指标。

(3)建立火灾场景模型。该过程涉及到防火设计中一些十分关键的问题，如点火源性状、起火点位置、可燃物种类、火灾荷载、建筑布局等，该过程同时应该给出火灾试验及计算过程需要的技术条件。

(4)选择分析计算方法。

(5)制定设计方案并进行评估。

(6)对设计方案进行审核，并最终确定设计方案。

性能化防火设计较处方式具有很大优势，可以通过对建筑物进行火灾风险评估，提高防火设计科学性。还能通过选择最优化防火设计方案，减少重叠设置消防设施，控制消防费用，增强防火设计的灵活性、经济性。但是我们不能片面地认为性能化防火设计将全面取代处方式防火设计。性能化既有优点，也有缺点和不足，此种防火设计需要进行大量的定量计算和安全分析，设计周期长，对设计人员和设计工具要求高。现行的处方式规范虽有不少缺陷，但很多规范条文是以往火灾教训的总结、前人工作经验积累和科学试验的结晶，在一定范围内具有很强的可靠性，基本能满足消防安全的要求，而且处方式防火设计简单方便、周期短。因此，性能化防火设计不可能也没必要取代处方式防火设计，只需对特殊的工程项目、特殊的建筑内容，根据性能化规范进行性能化设计。也就是说，即使是同一幢建筑物，它有可能既非全部采用性能化设，也不是完全依照处方式设计，而是两者和谐统一的完美结合。

而且，目前国际上所谓性能规范都只是包含部分性能规定，并没有百分之百的性能规范。指令性规定与性能规定不是简单的替代，而是在相当长的时期内并存或互补，这样既不妨碍新技术的应用，又能够保持当前的安全程度。

在我国实现防火性能设计还需要走相当长的一段路。目前，无论是在人们的观念上、理论水平上、历史资料的存储上，以及经济支撑条件上，都是十分薄弱的。但从发展看，开展此项工作又是一种必然，并且越早开始越主动。鉴于我国目前的实际情况，我国建筑防火设计是依据有关规范进行的，这种设计被称为"规范化设计"。长期以来，"规范化设计"使建筑设计人员有法可依、有章可循，对于增强建筑物的防火安全、减少火灾损失发挥了巨大的作用，而且今后一个时期还会继续发挥作用。

三、建筑防火的评价

建筑防火是建筑设计的重要组成部分，同时也是防止火灾发生、减少火灾损失的一种重要手段，而且火灾是除了建筑结构安全之外最容易引起灾难性事故的一个方面，一旦发生火灾即使救助及时也不可避免会造成财产损失甚至人员伤亡，因此住宅建筑防火应以防为主、以救为辅。建筑防火设计根据采取的防火措施不同可分为两类，一类是积极防火措施，即采取预防起火、早期发现(如设火灾探测报警系统)、初期灭火(如设自动喷水灭火系统)等措施，尽可能做到不失火成灾。采用这类防火措施就是重点进行防火，可以减少火灾发生的起数。另一类是消防防火措施，即采取以耐火构件划分防火分区、提高建筑结构的耐火性能、设置防烟排烟系统工程、设置安全疏散楼梯等措施，尽量不使火势扩大并疏散人员和财物。该类防火措施以消防防火措施为重点进行防火，可以减小发生重大火灾的概率。这两类防火措施的目的是一致的，都是为了减轻火灾损失、保证人员的生命安全。实际动用中，这两类防措施往往相互配合使用，以便起到最佳的防火效果。

由于住宅建筑层数不同、平面布置的类型不同、建筑构件使用材料不同、建筑周围的环境不同，因此影响建筑防火的诸多因素决定建筑防火这一问题的复杂性，尽管在指标体系中分项指标很多，但总的来说有以下几个方面的内容：①审批文件；②总平面布置；③建筑耐火等级及防火分区；④建筑构造；⑤安全疏散；⑥内部装修；⑦消防设施。

评价项目中的评价重点为建筑消防的重点项目或重要部位以及建筑设计中在执行规范上容易产生问题的住宅类型的项目及部位。

以下对上述几个方面分别说明主要内容。

(一)审批文件

(1)两个批件必须具备，此两项为否决项，未经消防主管部门进行设计审批及竣工验收审批的商品住宅不具备参评资格。

(2)具备批准文件，对住宅的防火性能仍需进行安全性量化评价，其原因是：住宅设计中对于规范的执行，在局部具体条文的规定尚有完善程度上的差别；审查者对规范的理解和执行的水平也存在差别，尤其是在中小城市有可能存在差距；另外，由于设计图纸不全、审批工作欠严格、工期紧张急于开工或急于投入使用等其他种种原因也会造成审批工作中的缺口。因此，具备了审批批件不等于建筑防火已完全符合规定。

(3)审批文件中提出的问题、解决的措施是否恰当地实施也作为评价内容上的重要提示，被评住宅的实际现场中与审批文件差别很大，存在问题严重应终止评定。

(二)总平面布置

(1)评价的内容：消防车道、防火间距、高层住宅的消防登高作业面的设置。

(2)评价的重点：由于多幢住宅组成的具有一定规模的住宅组团和较大规模的住宅小区，一般均经过规划设计和规划审批，总平面设计不太可能出现防火问题，因此重点在于插建住宅容易出现问题。例如，原有建筑或原有住宅继续扩建，或原有建筑之间插建住宅有可能出现以下情况：建筑物连续扩建后超长；建筑物之间防火间距不够；消防车难以进入街区内部；消防车道宽度以及与建筑物的距离违规等。

(3)商住楼等建有裙房的高层住宅容易存在消防登高作业面不能满足要求的问题，是高层住宅评价的重点内容。

(三)耐火等级、防火分区

(1)多层住宅的耐火等级规范中无具体规定，一般不低于二级。

(2)重点为高层住宅，《高层民用建筑设计防火规范》(GB50045—95)中规定：一类高层住宅的耐火等级为一级，二类高层住宅的耐火等级不低于二级。一类高层住宅包括高级住宅以及19层及19层以上的普通住宅，二类高层住宅是指18层及18层以下(10层以上)的普通住宅。

(3)住宅建筑的耐火等级由建筑的主要构件的燃烧性能及耐火极限来体现，评价某住宅的耐火等级要按照规范所规定的在该耐火等级所要求的各项建筑构件应具备的燃烧性能及耐火极限，如果有一项建筑构件不满足要求即可认定该建筑物的耐火等级不满足要求，评价的重点如下：

对高层住宅的主要建筑构件进行全面普查。

多层砖混住宅的室内轻质隔墙、多层框架结构住宅的自承重隔墙作为重点检查。

采用新型建材或新型墙体者必须提供材料及墙体的燃烧性能等级及耐火极限的检测报告。

(4)防火分区的最大允许建筑面积：多层住宅不作为重点，原因是规范规定每层最大防火分区面积为 2 500 m²，限制较宽松，一般均能满足要求，高层住宅应为重点，应注意以下的情况：

通廊式高层住宅可能形成较大面积的标准层，尤其是内通廊式全跃层住宅，防火分区面积为两层面积叠加，容易超出防火分区的规定面积。

个别塔式高层住宅，每层达到8～10户，形成超大面积的标准层，如层数再超过18层，有可能出现超出防火分区面积的规定。

超过防火分区规定面积的住宅楼房，应划分为两个(或数个)防火分区，分区间应用防火墙、甲级防火门或防火卷帘分隔，各分区内应按规定各自解决本分区的安全疏散措施。

(5)由许多单元组合的框架结构高层住宅，应检查组合的标准层总面积是否超出防火分区的面积限定，如超出规定，应划分为两个(或数个)分区，并确定每一单元之间的自承重墙为防火墙，检查此防火墙的燃烧性能及耐火极限是否符合规定。

(6)住宅建筑辅建的其他建筑(如底层商场、地下室等)因其使用功能与住宅不同，火灾危险性也不相同，在防火分区上应另外分区，并符合国家现行的有关专项规范中的安全规定。

(四)建筑构造

重点部位有以下3项：

(1)防火墙。如被评住宅须设置防火墙时，必须符合燃烧性能和耐火极限的规定以及外墙面防火墙两侧开窗距离的规定。

(2)管道井。多层住宅设置管道井较少，高层住宅较为普遍，检查管道井壁的材料、管井门的耐火极限、管道井的分层水平分隔，目的是防止火灾时楼层之间串火串烟。

(3)上下窗间墙高度。一般不小于 0.9 m。

(五)安全疏散

安全疏散是评价中的重点项目，火灾事故中避免人员的生命损失是第一位的，减少财产损失是第二位的。规范中所规定的安全疏散各项条文是为了在火灾发生的初期，建筑物内的人员能在短时间内撤离火场的措施，因此也成为评价住宅安全性的重点内容。

(1)评价内容包括疏散口(楼层为楼梯间)的数量、宽度、位置分布(疏散距离)以及对各种形式楼梯间的设置要求。

(2)上述的规定相对于高层、多层住宅，单元组合式、通廊式、塔式等各种类型住宅，规范中规定得十分详细，又各不相同，参评的住宅必须符合规范中的相应规定。

(3)疏散距离应为重点：通廊式住宅及内走廊较长的多户型塔式住宅可能出现户门到楼梯间疏散距离超长的问题。大户型住宅，尤其是跃层式大户型可能出现户内最远点到户门的疏散距离超长的问题。

(六)消防设施

消防设施共分 4 部分：给排水、暖通空调、电气及消防电梯，评价重点如下。

1. 多层住宅

重点有 2 项。

(1)室内消火栓：塔式、通廊式住宅 7 层以上，单元组合式住宅 8 层及以上，底层为商业网点住宅，应设室内消火栓。

(2)高级住宅应设有火灾自动报警系统。

2. 高层住宅

消防设施的评价重点有 4 项。

(1)水道专业：普通住宅设消防给水系统，其中各项规定均应严格执行，重点为消防水池、消防水泵房、高位水箱及消火栓的设置，高级住宅除上述外应设有自动喷水灭火系统，按《自动喷水灭火系统设计规范》(GB50084—2001)执行。

(2)暖通专业：重点为防烟楼梯间的防排烟设计及塔式或通廊式住宅的走廊排烟设计。

(3)电气专业：消防电源、自备电源、火灾应急照明、灯光疏散指示标志、消防值班室或消防控制中心。高级住宅除上述外应设火灾自动报警系统、火灾应急广播或火灾报警装置，按《火灾自动报警系统设计规范》(GB50116—98)执行。

(4)消防电梯：只在高层住宅设置，一般设计中与住宅电梯合用，何种类型住宅、层数达到几层时设置，对台数、载重量、前室、井道及机房《高层民用建筑设计防火规范》(GB50045—95)中均有详细规定。

四、评价方法

通过将各项评价标准的分数进行加权，即若将 M 视为单项满分，则 A 级为 1M 分、B 级为 0.8M 分、C 级为 0.6M 分、D 级为 0 分，然后进行加权计算。计算出总分后再进行综合评价，总分在 90 分以上者评为 A 级，75 分以上者评为 B 级，60 分以上者评为 C

级，60 分以下者评为 D 级。

具体项目的评价得分见表 6-1。

表 6-1　具体项目的评价得分

评价项目	项目分值	单项指标	单项指标说明	单项指标分值	得分
审批文件	40	消防主管部门进行设计的审批文件和竣工验收审批文件	是否具备	40	
总平面布置	20	消防车道	宽度是否不小于 4 m	5	
		防火间距	宽度是否不小于 6 m	5	
		耐火等级	高层为一级，多层不得低于二级	5	
		防火分区	多层每层不大于 2 500 m²，高层不大于 1 000 m²	5	
建筑构造	10	防火墙	设时必须符合耐火性能和耐火极限的规定以及外墙面防火墙两侧开窗距离的规定	4	
		管道井	井壁材料、管井门的耐火极限是否合格	3	
		上下窗间墙高度	是否不小于 0.9 m	3	
安全疏散	15	疏散口	数量要求一般两条以上	5	
		疏散楼梯	宽度是否不小于 1.1 m	5	
		疏散距离	一般不大于 40 m	5	
消防设施	15	消防给水系统	是否合格	5	
		防排烟设计	是否合格	5	
		火灾自动报警系统	是否合格	5	

第七章　室内空气质量检测与评价

一、评价的目的和意义

20世纪人类创造了前所未有的物质财富，加速推进了文明发展进程，但同时又出现了环境污染、生态破坏等重大问题。环境问题得到了全人类的密切关注，但很多人认为只要降低污染源的排放量，净化空气和水源，重新获得"碧水蓝天"，就可以高枕无忧了。

其实不然，随着社会的发展，人们的生活向现代化迈进，人们开始从美学角度审视自己的住宅，要求住宅舒适、美观，但殊不知在进行不合理的装修和没有认清各类石材、涂料、板材等的品质就大量使用，后患无穷。另外，建造房屋时，为能在冬季施工，大量使用混凝土外加剂，在完工之后，这些外加剂将会源源不断释放污染物。更有些石材、砖、水泥等材料中含有微量元素镭，镭可以蜕变成氡，通过墙缝、窗缝等进入房内，造成室内氡的污染。

不合格的建材能释放甲醛、苯、氨气、氡气、挥发性有机物等多种污染物。北京市化学物质毒素鉴定中心报道，北京每年由建材引起室内污染事件就有多起，中毒者达到万人。室内污染已引起人们的关注，不可等闲视之。

室内污染物的种类很多，但主要包括5项，即甲醛、氨、苯、总挥发性有机物(TVOC)和氡气。它们的危害及来源分别如下：

甲醛是一种具有强烈刺激性气味的有机化合物，是室内环境的主要污染物之一。长期接触甲醛，会使人感到周身不适、头痛、眩晕、恶心、心悸、失眠，严重时会诱发鼻腔、咽喉、皮肤和消化道的癌症。建筑工程中的甲醛主要来自于门窗、胶合板、黏合剂、涂料等。

氨是一种无色而具有强烈刺激性气味的气体。短期内吸入大量氨气后可出现流泪、咽痛、声音嘶哑、咳嗽、痰带血丝、胸闷、呼吸困难等症状，并伴有头晕、头痛、恶心、呕吐、乏力等，严重时可发生肺水肿、成人呼吸道窘迫综合症，同时可能发生呼吸道刺激症状。室内空气污染中的氨主要来自建筑施工使用的混凝土外加剂。墙面涂饰有时也用氨水做添加剂和增白剂。

苯是世界卫生组织公布的致癌物质之一。慢性苯中毒会对皮肤、眼睛和上呼吸道有刺激作用，引起过敏性皮炎、喉头水肿、支气管炎及血小板下降，长期吸入苯会引起再生障碍性贫血、女性月经异常，怀孕妇女胎儿发育异常等。苯污染主要来源于油漆、黏合剂、涂料，以及涂料施工用的稀释剂等。

TVOC(总挥发性有机物)是指挥发性有机化合物的总量指标。目前，检测到的TVOC达数百种。其中20多种是致癌物质或致突变物质，虽然大多数以极低的浓度存在，但若干种TVOC共存时，其联合作用及对人体健康的影响是非常大的。TVOC能引起肌体免疫系统失调，影响中枢神经系统功能，表现为眼睛不适、喉部不适、呼吸毛病、气喘、支气管哮喘、头疼、难以集中精神、眩晕、疲倦、烦躁等。建筑工程中它源于油漆、涂料、黏合剂、地板等。

氡是一种放射性的惰性气体，也是世界卫生组织公布的 19 种致癌物质之一，专家们把氡称为除吸烟以外引起肺癌的第二大因素。它主要来源于岩石(土壤)、建筑材料(如墙体、地砖)、地质断裂带、地下水、天然气等。

所有的室内污染物均会影响人们的工作效率。室内空气质量与劳动效率和出勤率有密切关系，由此造成的缺勤和医疗费用十分巨大。国际经验表明，加强室内空气的质量控制通常情况下所增加的费用并不多，就可以达到提高劳动生产率的目的。

由于室内环境污染是个新课题，国家环保总局及卫生、建设、国家质检部门等专业机构负责此项工作，虽然也有一些科研院校一直进行此项研究，但与国外相比，我国室内空气质量监测评价水平比较低，但是我国室内环境污染倒是十分严重的。目前，我国在室内空气质量方面已推出了两个标准，一个是《民用建筑工程室内污染控制规范》(GB50325—2001)，一个是《室内空气质量标准》(GB18883—2002)。前一个标准是国家强制性标准，适用于民用建筑工程、装修工程竣工使用后的验收；后一个标准是推荐性标准，一旦买卖双方将这些标准写入合同，那么它就有了强制性。

然而，一些问题随之而生，一些消费者到处咨询，要求进行室内空气质量检测、评价。一些房地产开发商在各大媒体广泛宣扬自己的产品是绿色健康住宅，一些建材生产销售商宣扬其产品为绿色环保产品。他们的各种说法都使普通的无专业知识的消费者感到迷茫，无法分辨真相。然而，应该看到，无论他们如何宣扬，他们的真正目的往往是利润最大化，他们的宣传往往是在诱导、欺骗消费者购买他们的产品，他们的说法往往无科学公正的依据。因此，出现这么一个专业权威的中介机构，客观公正地进行室内空气检测、评价，已显得十分必需。这样，一个室内空气质量检测评价业务市场逐渐形成，然而到目前为止，该市场管理混乱。另外，各房地产开发商、建材商等都在宣扬自己的产品为优良环保产品，但何谓优、何谓良，并不是他们说了算。但尴尬的是，至今为止，还没有一个合适的评价标准来衡量。因此，对室内空气质量检测、评价方法进行进一步研究，依据国情，确定适合我国的室内空气检测方法，构筑一个适合国情的室内空气质量评价标准，在住宅建筑产品完工之后来检测评价室内空气质量，分出优、良、中、差，然后在全国推广实施，这对我国建筑工程质量的进一步提高，规范室内环境检测业务评价市场，约束房地产开发商、建材商，服务广大人民，已显得十分有意义。

二、国内外室内空气质量检测评价的现状

(一)国内现状

我国最初大规模出现室内空气污染是在 20 世纪 80 年代，为改善城镇居民居住条件，各地大规模建造单元式居民楼，空调开始进入百姓家。在居住条件改善的同时，室内空气品质却不断恶化。就我国目前而言，建筑工程引起的室内空气污染主要是混凝土使用的外加剂、黏合剂、墙体涂料、门窗、各种板材等。

目前，国内空气质量检测评价包括以下几个方面：

(1)制定全面科学的空气质量控制标准。由于我国室内空气污染问题只是近十几年的事，人们强烈认识到室内空气污染的问题并引起全社会的关注才是最近几年的事。国家还没有制定全面的法规，仅出台了两个标准，如前提到，还不十分完善。而全面、科学地制定标准需要进行大量的现场调研以确定适合室内污染物种类、发生率及平均污染水平，了解暴露—效应关系，确定可接受水平，以确定适合我国国情的空气质量控制标准。但至今，因人力、财力、国情所限，这些工作显然在我国还没有做到位，还需要大量的工作来完善。

(2)污染源控制。这是我国目前室内空气污染研究的一个热点问题。随着人们对室内空气污染现象的日益关注，政府对室内空气污染问题的日益重视，国家技术监督局于2001年12月颁布了包括人造板、涂料、壁纸等10项材料有害物质限量标准。这10项国家标准的出台为规范材料市场提供了技术依据，对促进产品质量的提高、保证人体健康和人身安全有重要意义。

(3)室内污染物的检测方法。检测室内污染物的方法有很多，目前国内的检测技术条件可以满足一些常见污染物的检测要求。但有些检测方法复杂，过程烦琐，或数据误差大。如目前国内对挥发有机物的定性定量检测采用仪器法，如色谱仪、色谱—质谱联用仪等，这些仪器庞大，分析速度慢，且价格昂贵。如何更快速方便又准确地检测室内污染物，建立适合的室内空气检测方法还在进一步研究之中。

(4)室内空气质量评价。目前国内对室内空气质量进行评价大多采用主观评价和客观评价相结合的方法。客观评价一般先认定评价指标，再进行试验分析测定，对所取得的大量试验测定数据进行统计，求得具有科学性和代表性的统计值。目前常用的是现场测定方法，即现场采样后进行化学分析。主观评价的实用方法有培养专人进行感官分析，也有采用对大量人群进行调查的方法。调查表采用选择法对各种感觉程度量化，为提高置信度有时还对被调查人群背景资料进行调查以排除影响因素，一般调查结果用百分比统计得出规律性，然后将主观评价与客观评价的结果相结合得出室内空气质量的评价结论。

(5)放射性污染。目前室内环境中放射性污染评价指标主要为氡气及其子体。氡广泛存在于人们生活和工作环境中，它的一系列特性，决定了它在机体内的转移和损伤特点。我国根据初步调查，居室中氡浓度低于世界平均值。随着生活水平的提高，有些因素可导致居室中氡浓度升高，如使用空调就可能导致居室中氡浓度明显增高。

(二)国外现状

国外由于多种原因引起的室内空气污染早于我国。因此，国外对此已经有了几十年的研究历史，逐渐形成了比较科学的研究体系，建立了相对比较完善的法律及各项污染物的卫生标准。

1. 相关研究成果

国外研究表明，室内TVOC浓度如高于室外，呼出气中的TVOC的浓度与个体接触量具有很好的相关性，而与室外空气中的TVOC的浓度没有相关性。世界卫生组织的一个工作小组利用这些研究数据，得出了TVOC对人类危害的试验结果。其中要求单个化合物的质量浓度不超过所属分类的50%，也不超过TVOC总量的10%，不适合于致癌化合物的评价,醛类中不包括甲醛。而根据这些试验结果,德国学者推出了室内空气中TVOC的限值。日本、德国、意大利、美国和澳大利亚等国家首先对市内一些无机污染物进行了控制。随着人们生活水平的提高,室内空气质量标准中又增加了甲醛等无机物项。

2. 室内空气质量相关法律

国外一些国家制定了一系列较完备的法律来控制室内污染,20多个国家和地区对建筑材料施行了环境标志,如丹麦、挪威等制定了"健康建材标准"等,这都有效控制了室内空气污染,因此国外一些国家室内空气污染的程序已经慢慢得以改善。

三、室内污染物的检测与评价

上面对国内外的一些研究情况作了简单的回顾,下面介绍本文所述的检测评价方法。

(一)检测方法

1. 采样方法

采集室内空气的气体样品是测定室内空气中污染物的第一步,它直接关系到测定结果的可靠性。经验证明,如果采样方法不正确,即使分析方法再精确、操作者再细心,也不会得出准确的测定结果。要根据气体污染物的存在状态、浓度、物理化学性质及监测方法不同,选用不同的采样方法及仪器。所检测污染物的采样方法如下。

(1)甲醛:浓缩采样法之液体吸收法。由于室内空气中甲醛浓度一般较低,为分析需要,用酚试剂或水装于气体吸收管之中对室内甲醛进行浓缩再带回实验室进行分析。

(2)TVOC:同样采用浓缩采样法之固体吸附法。利用TenaxGC或TenaxTA作为吸附剂,用吸附管采集一定体积的空气样品,空气流中的挥发有机化合物保留在吸附管中带回分析。

(3)苯:采用浓缩采样法之固体吸附法,吸附剂为椰子壳活性炭。用吸附管采集一定体积空气样品,空气中的苯及苯系物吸附于活性炭中带回分析。

(4)氨:采用浓缩采样法之液体吸收法。用硫酸吸附剂装于气体吸收管中,采集室内空气中的氨,带回分析。

(5)氡:采用被动式采样或主动式采样。

2. 采样环境

由于室内空气污染物的特殊性,采样环境对污染物的浓度有很大影响,主要如下:

(1)温度、湿度、大气压。对于大多数气体污染物而言,当温度升高、湿度降低的时候更易挥发,造成室内该项污染物浓度升高;大气压力会影响气体的体积,从而影响其浓度。

(2)室外空气质量。当室外环境中存在污染源时,室内相应污染浓度可能较高。

(3)门窗开关。当门窗开时,所测浓度值偏低。住宅建筑工程验收氡检测时,应在房间的对外门窗关闭24 h以后进行;游离甲醛、苯、氨、总挥发有机物检测时应在对外门窗关闭1 h后进行。

3. 采样点布置

采样点布置同样会影响室内污染物监测的准确性,如果采样点布置不科学,所得数据也不科学。

布点方法如下：

(1)采样点数量。住宅建筑工程验收时，应抽检有代表性的房间，抽检数量不小于 5%，并不小于 3 间。居室面积小于 50 m² 设 1 个点，50~100 m² 设 2 个点，大于 100 m² 设 3~5 个点。采样点距地面高度 0.8~1.5 m。采样点离墙不小于 0.5 m。

(2)采样点分布。宜分布均匀，离开门窗一定距离，以免受其影响。

(3)采样点高度。与人的呼吸高度相一致，一般距离地面 1.5 m 或 0.8~1.5 m 之间。

(4)室外对照点的设置。在进行室内污染物检测的同时，为了掌握室内外污染的关系，应在同一区域室外设置 1~2 个对照点。也可用原来的室外固定大气监测点做对比，但室内采样点的分布，应在固定检测点半径 500 m 范围之内。

(5)采样时间与采样频率。应根据所选用的检测方法确定合适的采样时间与采样频率。

4. 采样记录

采样记录是对现场情况，如各种污染物、采样日期、时间、地点、数量、布点方式、大气压力、气温、相对湿度、风速及采样者签字做出详细记录，随同样品一同报到实验室(见表 7-1)。

表 7-1　采样记录

采样地点：　　　　　　　采样方法：　　　　　　　污染物名称：

采样日期	样品号	采样时间			温度	湿度	气压	流量	采样体积(L)	采样人
		开始	结束	总计						

(二)检测试验方法

1. 苯及苯系物的测定

苯及苯系物的测定有两种方法：热解吸气相色谱法、溶剂解吸气相色谱法。下面介绍热解吸气相色谱法。

1)原理

空气中苯、甲苯、二甲苯用固体吸附剂采集，然后在高温下用氮气解吸，用毛细管色谱柱分离，氢火焰离子化检测器检测，用保留时间定性，峰高或峰面积定量。

2)仪器和设备

(1)配氢火焰离子化检测器的气相色谱仪。

(2)热解吸仪：能与毛细管气相色谱仪配用。

(3)空气采样泵：流量范围 0.2~1L/min。使用时用皂膜流量计校准采样系列，采样前和采样后的误差小于 5%。

(4)采样管：热解吸仪配用的采样管，内装 Tenax 吸附剂，两端用玻璃棉和不锈钢网固定。使用前于 300~350℃用氮气吹 10 min，两端密封保存。

(5)色谱柱：直径 0.53 mm、长 30 mm 非极性石英毛细管柱。

3)试剂和材料

(1)苯：色谱纯。

(2)甲苯：色谱纯。

(3)二甲苯：色谱纯。

(4)Tenax 吸附剂：40~60 目。

(5)标准气：用动态配气法配制 100 μg/m³ 苯、甲苯、二甲苯混合标准气。

(6)标准溶液：分别取不同量的苯、甲苯、二甲苯用二硫化碳稀释成 50 μg/m³、200 μg/m³、1 000 μg/m³、2 000 μg/m³ 混合标准液。

4)采样和样品保存

在采样点取出采样管，将采样管接到采样泵进气口，开启采样泵，以 0.2 L/min 的流速抽取 5 L 空气，取下采样管放入密封试管内。记录采样点的气温和大气压力。

5)分析步骤

a．测试条件

根据气相色谱仪和配套的热解吸仪的型号和性能制定能分析苯、甲苯、二甲苯的最佳热解吸和色谱条件，以下条件可供选择。

(1)解吸条件：按照解吸仪的操作条件进行。

(2)色谱条件：色谱柱初始温度 50 ℃，保持 5 min，持续升温 8℃/min，最终温度 200 ℃，保持 2 min。检测器温度 250 ℃。

b．绘制标准曲线

(1)气体标样法。取 6 支预处理好的采样管，分别向各管通入 100 μg/m³ 苯、甲苯、二甲苯混合标准气 0、0.5 L、2.0 L、10 L、20 L、50 L，制备成标准系列管。各管中苯、甲苯、二甲苯含量分别为 0、0.05 μg、0.2 μg、1.0 μg、2.0 μg、5.0 μg。

(2)液体标样法。取 6 支预处理好的采样管，分别向各管加入浓度为 0、50 μg/mL、200 μg/mL、1 000 μg/mL、2 000 μg/mL、5 000 μg/mL 的苯、甲苯、二甲苯混合标准液，制备成标准系列管。各管中苯、甲苯、二甲苯含量分别为 0、0.05 μg、0.2 μg、1.0 μg、2.0 μg、5.0 μg。

将各标准系列管分别装在热解吸仪上，在最佳热解吸和色谱分析条件下分析各标准系列管。测量各组分的保留时间和峰高，每个浓度重复 3 次，取峰高平均值(mm)为纵坐标、各组分的含量(μg)为横坐标，绘制各组分标准曲线，并计算回归线的斜率。以回归线斜率的倒数作为测定样品的计算因子 B_g(μg/mm)。

c．样品测定

将采样后的样品管装到热解吸仪上，按用热解吸仪的操作步骤，在标准曲线相同条件下进行分析，用保留时间定性，用峰高定量。

在每批样品测定的同时，用一支未经采样的空白管按相同的操作条件和步骤作为试剂空白测定。

6)计算

$$c = \frac{(h - h_0) \times B_g}{V_0 \times E_g} \tag{7-1}$$

式中　c——空气中苯、甲苯、二甲苯的浓度，mg/m³；

h——样品管中苯、甲苯、二甲苯的峰高，mm;

B_g——由标准曲线得到的计算因子，$\mu g/(mL \cdot mm)$;

V_0——换算成标准状况下的采样体积，L;

E_g——由试验确定的解吸效率。

2. 挥发有机物的测定

常用测定挥发性有机物总量的方法是固体吸附剂管采样，然后加热解吸，用毛细管气相色谱法测定。本节介绍的方法是我国室内空气质量卫生规范规定的方法。

1)原理

选择合适的固体吸附剂(Tenax GC 或 Tenax TA)采集空气中挥发性有机物，采样后将采样管加热，同时通入氮气解吸被吸附的化合物，被测化合物随氮气进入毛细管色谱柱分离，用氢焰离子化检测器检测，用保留时间定性，峰高或峰面积定量。

2)仪器和设备

(1)配氢火焰离子化检测器的气相色谱仪。

(2)热解吸仪：能与毛细管气相色谱仪配用。

(3)空气采样泵：流量范围 0.2~1 L/min。使用时用皂膜计校准采样系列，采样前和采样后的误差小于 5%。

(4)采样管：热解吸仪配用的采样管，内装 Tenax TA 或 Tenax GC 吸附剂，两端用玻璃棉和不锈钢网固定。使用前于 300~350℃用氮气吹 10 min，两端密封保存。

(5)色谱柱：直径 0.25 mm、长 50 mm 非极性石英毛细管柱。

3)试剂和材料

(1)各种挥发性有机物混合标准液：色谱纯，使用时稀释成各组分浓度 0.1~5 mg/mL。

(2)各种挥发性有机物混合标准气体：各组分浓度 100 $\mu g/m^3$。

(3)Tenax GC 或 Tenax TA 吸附剂：40~60 目，新购的吸附剂需用提取器分别用甲醇、戊烷提取，真空干燥后过筛保存。

4)采样和样品保存

在采样点取出采样管，将采样管接到采样泵进气口，开启采样泵，以 0.2 L/min 的流速抽取 10L 空气，取下采样管封口，放入密封试管内。记录采样点的气温和大气压力。

5)分析步骤

a. 测试条件

根据气相色谱仪及配套的热解吸仪型号和性能，制定能分析各种挥发性有机化合物的最佳测试条件，以下条件可供选用。

(1)解吸条件：按照解吸仪的操作条件进行。

(2)色谱条件：色谱柱初始温度 50℃，保持 10 min，持续升温 5 ℃/min，最终温度 250℃，保持 2 min。检测器温度 250 ℃。

b. 绘制标准曲线

(1)气体标样法：取 5 支预处理好的采样管，分别向各管通入各组分为 100 $\mu g/m^3$ 挥发性有机物混合标准气 0、1 L、5 L、10 L、20 L、50 L，制备成各组分含量分别为 0、0.1 μg、0.5 μg、1.0 μg、2.0 μg、5.0 μg 的标准系列管。

(2)液体标样法：取 5 支预处理好的采样管，分别向各管加入 1 L 不同浓度的挥发性有机物混合标准液，使各管中加入的挥发性有机物含量分别为 0、0.1 μg、0.5 μg、1.0 μg、2.0 μg、5.0 μg，制备成标准系列管。

各标准系列管安装到热解吸仪上，按照热解吸仪和气相色谱仪的最佳测试条件，分析各标准系列管，测量各组分的保留时间和峰高或峰面积，做 3 次测定，以各组分峰高或峰面积的平均值(mm 或 mm^2)为纵坐标、组分含量(μg)为横坐标，绘制各组分的标准曲线，并计算回归线的斜率。以斜率的倒数作为样品测定的计算因子 B_g(μg/mm 或 μg/mm^2)。

c．样品测定

将采样后的样品管装到热解吸仪上，按用绘制标准曲线的条件和步骤进行分析，用保留时间定性，用峰高或峰面积定量。

在每批样品测定的同时，用未采样的采样管，按相同操作条件和步骤作为试剂空白的测定。

6)计算

(1)各组分浓度的计算方法：

$$c = \frac{(h - h_0) \cdot B_g}{V_0} \tag{7-2}$$

式中 c——空气中挥发有机物组分浓度，mg/m^3；

h——样品管中组分峰高或峰面积，mm 或 mm^2；

h_0——空白管中组分峰高或峰面积，mm 或 mm^2；

B_g——由标准曲线得到的计算因子，μg/(mL · mm)；

V_0——换算成标准状况下的采样体积，L。

(2)挥发性有机物总量的计算方法：

①挥发性有机物总量包括保留时间在正己烷至正十六烷之间的所有化合物；

②从这些化合物中选取含量前 10 位进行定性和定量；

③其他未做鉴定的组分以甲苯的相应值计算其含量；

④将鉴定出的化合物和未鉴定出的化合物的含量相加即为挥发性有机物含量总和。

3．氨的测定

氨的化学测定方法有纳氏试剂比色法、靛酚蓝比色法、亚硝酸盐比色法等。纳氏试剂比色法因操作简便，一般多采用此法，但此法呈色胶体不十分稳定，易受醛类和硫化物的干扰。靛酚蓝比色法灵敏度高、呈色较为稳定、干扰少，但要求操作条件严格，蒸馏水和试剂本底值的增高是影响测定值的主要误差来源。纳氏试剂比色法和靛酚蓝比色法已被推荐为《公共场所空气中氨测定方法》(GB/T18204.25—2000)中的检验方法。亚硝酸盐比色法灵敏度高、干扰少，但操作复杂，氨转变成亚硝酸盐的系数问题尚需进一步验证。此外，纯铜丝在 340℃的温度下能定量地将氨转化成氧化氮，这样可用化学发光法氮氧化物分析仪进行连续测定。下面介绍的是靛酚蓝比色法。

1)原理

空气中氨吸收在稀硫酸中，在亚硝基铁氰化钠及次氯酸钠存在下，与水杨酸生成蓝绿色靛酚蓝染料，比色定量。

2)仪器和设备

(1)气泡吸收管：普通型，有 10 mL 刻度线。

(2)空气采样器：流量范围 0.2~2 L/mL，流量稳定。使用时，用皂膜流量计校准采样系列在采样前和采样后的流量，流量误差应小于 5%。

(3)具塞比色管：10 mL。

(4)分光光度计：用 10 mm 比色皿，在波长 697.5 nm 下，测定吸光度。

3)试剂和材料

(1)无氨水：于普通蒸馏水中，加少量的高锰酸钾至浅紫红色，再加少量氢氧化钠至呈碱性。蒸馏，取其中间蒸馏部分的水，加少量硫酸呈微酸性，再重蒸馏一次即得。所有试剂均用无氨蒸馏水配制。配制时，室内不得有氨气。

(2)吸收液(0.005 mol/L 硫酸溶液)：吸取 2.8 mL 硫酸加入水中，并用水稀释至 1 L。临用时，再用水稀释 10 倍。

(3)水杨酸溶液(50 g/L)：称取 10.0 g 水杨酸和 10.0 g 柠檬酸钠，加水约 50 mL，再加 55 mL 2mol/L 氢氧化钠溶液，用水稀释至 200 mL。此试剂稍呈黄色，室温下可稳定一个月。

(4)亚硝基铁氰化钠溶液(10 g/L)：称取 1.0 g 亚硝基铁氰化钠，溶于 100 mL 水中，冰箱中储存可稳定一个月。

(5)次氯酸钠溶液(0.05 mol/L)：次氯酸钠试剂(有效氯不低于 5.2%)，用碘量法标定其浓度。

标定方法：称取 2g 碘化钾于 250 mL 碘量瓶中，加水 50 mL 溶解。再加 1.00 mL 次氯酸钠试剂，加 0.5 mL(1+1)盐酸溶液，摇匀。暗处放置 3 min。用硫代硫酸钠标准溶液 c=0.1 mol/L 滴定析出的碘，至溶液呈黄色时，加入 1 mL 新配制的 0.5%淀粉溶液，呈蓝色。再继续滴定至蓝色刚刚褪去，即为终点。记录所用硫代硫酸钠标准溶液的用量(v)。已知硫代硫酸钠标准溶液的浓度，则次氯酸钠试剂的浓度(mol/L)用下式计算：

$$次氯酸钠试剂的浓度 = \frac{c \times v}{1.00 \times 2} \tag{7-3}$$

然后，用 2 mol/L 氢氧化钠溶液稀释成 0.05 mol/L 的溶液。储于冰箱中可保存两个月。

(6)标准溶液：准确称量 0.314 2 g 经 105℃ 干燥 1 h 的氯化铵。用少量水溶解，移入 100 mL 容量瓶中，用吸收液稀释至刻度，此溶液 1 mL 含 1 mg 的氨。临用时，再用吸收液稀释成 1 mL 含 1 μg 氨的标准溶液。

4)采样和样品保存

用一个内装 10 mL 吸收液的普通型气泡吸收管，以 0.5 L/min 的流量，采气 5 L，记录采样时的温度和大气压力。采样后，样品在室温下保存，于 24 h 内分析。

5)分析步骤

a.标准曲线的绘制

用 1 μg/mL 氨的标准溶液，按表 7-2 制备标准色列管。在标准色列各管中，加入 0.5 mL 5%水杨酸溶液，再加入 0.1 mL 1%亚硝基铁氰化钠溶液和 0.1 mL 0.05 mol/L 次氯酸钠溶液，混匀。室温下放置 1 h。用 10 mm 比色皿，以水作参比，在波长 697.5 nm 下，测定各管溶液吸光度，以氨含量(μg)为横坐标、吸光度为纵坐标，绘制标准曲线，并计算回归线的斜率。以斜率的倒数作为样品测定的计算因子 B_s(μg/吸光度)。

表 7-2　标准色列管制备

编号	0	1	2	3	4	5	6
氨气标准溶液体积(mL)	0	0.50	1.00	2.00	4.00	6.00	8.00
吸收液体积(mL)	10.0	9.5	9.0	8.0	6.0	4.0	2.0
氨含量(μg/mL)							

b．样品测定

将样品溶液转入具塞比色管中，用少量水洗吸收管，合并，使总体积为 10 mL。然后，按标准曲线绘制的操作步骤，测定吸光度。

在每批样品测定的同时，用未采样的吸收液，按相同的操作步骤做试剂空白测定。

如果样品溶液吸光度超过标准曲线的范围，则取部分样品溶液，用吸收液稀释再分析。计算浓度时，应乘以样品溶液的稀释倍数。

6)计算

$$c = \frac{(A - A_0) \times B_s \times D}{V_0}$$ (7-4)

式中　c——空气中氨的浓度，mg/m³；

　　A——样品溶液的吸光度；

　　A_0——试剂空白溶液的吸光度；

　　B_s——用标准溶液绘制标准曲线得到的计算因子，μg/吸光度；

　　D——分析时样品溶液稀释的倍数；

　　V_0——换算成标准状况下的采样体积，L。

4．甲醛的测定

甲醛的测定方法有酚试剂比色法、乙酰丙酮比色法、变色酸比色法、盐酸副玫瑰苯胺比色法、4—氨基—3—联氨—5—巯基—1，2，4—三氮杂茂(简称 AHMT)比色法等化学方法。仪器法有高效液相色谱法、气相色谱法和电化学法。乙酰丙酮比色法对共存的酚和乙醛等无干扰，操作简易、重现性好。变色酸比色法显色稳定，但需使用浓硫酸，操作不便，且共存的酚有干扰。两方法的灵敏度相同，均需在沸水浴中加热显色，变色酸加热时间较长些。酚试剂比色法在常温下显色，且灵敏度比上述两个方法都好；气相色谱法选择性好，干扰因素少；这两种方法均被作为公共场所空气中甲醛卫生检验标准方法(GB/T 18204.26—2000)。AHMT 法在室温下就能显色，且抗干扰能力较强，也是标准方法。

目前国内普遍使用的电化学甲醛分析仪，可直接在现场测定甲醛浓度，当场显示，操作方便，适用于室内和公共场所空气中甲醛浓度的现场测定。我国室内空气质量卫生规范规定 AHMT 比色法、酚试剂比色法和气相色谱法为测定室内空气中甲醛的标准方法。

现简要介绍酚试剂比色法。

1)原理

空气中甲醛被酚试剂溶液吸收，反应生成嗪，嗪在酸性溶液中被高铁离子氧化形成蓝绿色化合物，比色定量。

2)仪器和设备

(1)气泡吸收管：普通型，有 10 mL 刻度线。

(2)空气采样器：流量范围 0.1~1 L/min，流量稳定。使用时，用皂膜流量计校准采样系列在采样前和采样后的流量，流量误差应小于 5%。

(3)具塞比色管：10 mL。

(4)分光光度计：用 10 mm 比色皿，在波长 630 nm 下，测定吸光度。

3)试剂和材料

(1)吸收原液：称量 0.1 g 酚试剂(盐酸—3—甲基—2—苯并噻唑酮腙，简称 MBTH)加水溶解，倾于 100 mL 具塞量筒中，加水至刻度。放入冰箱保存，可稳定 3 天。

(2)吸收液：量取 5 mL 吸收原液，加 95 mL 水。混匀，即为吸收液。采样时，临用现配。

(3)盐酸溶液(0.1 mol/L)：量取 8.2 mL 盐酸加水稀释至 1L。

(4)硫酸铁铵溶液(10 g/L)：称量 1.0 g 硫酸铁铵，用 0.1mol/L 盐酸溶液溶解，并稀释至 100 mL。

(5)标准溶液：配制及标定方法同吸收原液。临用时，用吸收液稀释成 1 mL 含 1 μg 甲醛的标准溶液，此标准溶液可以稳定 24 h。

4)采样和样品保存

用一个内装 5 mL 吸收液的气泡吸收管，以 0.5 L/min 流量，采气 10 L。记录采样时的温度和大气压力。采样后应在 24 h 内分析。

5)分析步骤

a. 标准曲线的绘制

用 1 μg/mL 甲醛标准溶液，按表 7-3 制备标准色列管。在标准色列各管中，加入 0.4 mL 1%硫酸铁铵溶液，摇混匀，放置 15 min，用 10 mm 比色皿，以水作参比，在波长 630 nm 下，测定各管溶液的吸光度。以甲醛含量(μg)为横坐标、吸光度为纵坐标，绘制标准曲线，并计算回归线的斜率。以斜率的倒数作为样品测定的计算因子 B_s(μg)。

表 7-3　标准色列管制备

编号	0	1	2	3	4	5
标准工作溶液体积(mL)	0	0.10	0.50	1.00	1.50	2.00
吸收液体积(mL)	5.0	4.9	4.5	4.0	3.5	3.0
甲醛含量(μg)	0	0.1	0.5	1.0	1.5	2.0

b. 样品测定

采样后，用水补充到采样前吸收液的体积。准确量取 5 mL 样品溶液于比色管中。然后，按绘制标准曲线的操作步骤，测定吸光度。

在每批样品测定的同时，用 5 mL 未采样的吸收液，按相同操作步骤作试剂空白的测定。

6)计算

$$c = \frac{(A - A_0) \cdot B_s}{V_0}$$ (7-5)

式中　c——空气中甲醛浓度，mg/m³；

　　　A——样品溶液的吸光度；

　　　A_0——试剂空白溶液的吸光度；

　　　B_s——用标准溶液绘制标准曲线得到的计算因子，μg/吸光度；

　　　V_0——换算成标准状况下的体积，L。

5.氡的测量

氡的测量方法很多，从测量时间上可以分为瞬时测量、连续测量和累积测量。连续测量和累积测量时间太长，效率太低，不能满足快速的要求。瞬时测量快速、方便，可以及时获得监测数据，适合于室内空气监测的要求。现简要介绍几种瞬时测量的方法。

1)半导体探测器法

a.原理

半导体探测器是用小动力泵或自由扩散将欲采取的空气通过过滤膜进入收集室，氡气衰变时产生带正电荷子体(主要是 ^{218}po 正离子)，在外加电场的作用下，这些带正电荷的子体被吸附到半导体探测器表面上。这些子体进一步衰变放出粒子，由半导体探测器记录下来，根据刻度系数可确定氡的浓度。

b.仪器和设备

仪器由收集室(有不同体积)、探测器(硅半导体)、电子单元组成。由 3 位数字显示氡浓度，探测下限为 5 Bq/m³。

c.采样和测量步骤

半导体探器多为便携式，打开仪器开关，稳定几分钟后，即可给出读数；可在间隔短时间后，或更换采样点后，再继续测量。

d.说明

(1)半导体探测器的测氡仪可以作为瞬时测量室内空气中氡浓度的仪器，在现场即时获得当时氡浓度，并将瞬时氡浓度打印下来，也可以作为连续测氡仪用，可存储 90 个每 24 h 的平均氡浓度值。

(2)仪器体积小、重量轻，可直交流两用，测量程序简单、方便，而且抗湿度性能好。

(3)从现有仪器看，美国、德国的仪器性能较好；国产有个别的仪器在采样测量后，由于氡子体附着在器壁上，当在测第 2 个样品时，第 1 个样品的氡子体会对计数有贡献，造成第 2 个样品出现高值的误差。

2)脉冲电离室法

脉冲电离室型测氡是通过过滤器将空气引入电离室，氡原子衰变发射的 α 粒子产生离子脉冲，由探测器记录和显示。该方法的灵敏度较高，可以探测到环境水平的氡浓度。如果配合能谱分析方法，也可获得较快的响应时间。但是该方法设备较复杂，造价也高些。

四、室内空气质量评价方法

室内空气质量的评价是认识室内环境的一种科学方法，是随着人们对室内环境重要性认识的不断加深所提出的新概念。它反映在某个具体的环境内，环境要素对人们的工作、生活适宜程度而不是简单的合格不合格的判断。过去人们仅依据污染物的上限值，简单地判断室内空气品质是否合格，这种方法不能解决目前存在问题，其结果也缺乏公正性、可比性和权威性。

目前国内外对室内空气品质评价方法尚未建立统一标准，先对一些评价方法作简单介绍。

(一)主观评价与客观评价相结合的评价方法

客观评价就是直接用室内污染物指标来评价室内空气品质，即选择有代表性的污染物作为评价指标，全面、公正地反映室内空气质量状况。主观评价主要通过对室内人员问询得到，即利用人体的感觉器官对环境进行描述和评价。最后综合主客观评价做出结论。

(二)达标评价方法

由于室内空气品质的评价还是一个比较新的领域，国内对该方向的研究也尚处于起步阶段，因此对于室内空气品质的评价还没有一套统一完善的评价方法。达标评价方法是国家环保总局推出的一套针对室内空气质量的评价方法，目前正在推广使用。达标评价法采用的是单因素评价方法，实际上它是客观评价法的一种。

(三)IAQ 等级的模糊综合评价

室内空气质量目前就是一个模糊概念，至今尚无一个统一的权威性的定义。因此，有人常使用模糊数学方法加以探究，即 IAQ 等级模糊综合评价。该方法的关键是建立 IAQ 等级评价的模糊数学模型，确定各类健康因素对可能出现的评判结果的隶属度。目前该种评价法还不成熟。

(四)美国供暖、制冷和空调工程师学会评价法

美国供暖制冷和空调工程师学会新修订的标准 ASHRAE62—1989 对合格的室内空气质量作了新定义，定义为"室内空气中一致的污染物浓度，没有达到公认权威机构所确定的有害浓度指标，并处于该空气中绝大多数人表示不满意"。这一定义正体现了具体规定，要求有一组至少包括 20 位未经训练的评述者，在有代表性的环境下有 80% 的人认为室内空气完全可以接受，这种空气才被认为是合格。但就是这一点来说，这种方法就不适合于我国目前的住宅室内空气质量评价。

以上各种空气质量评价方法各有各的优点和不足，它们都或多或少地不适合目前我国建筑工程完工之后的住宅室内空气质量评价。鉴于目前我国的实际情况，以建设部颁布的国家标准《民用建筑工程室内环境污染控制规范》(GB50325—2001)进行进一步改进，得出评价住宅室内空气评价标准见表7-4。

表 7-4　住宅室内空气评价标准

分值		90 分	80 分	70 分	0 分
污染物	氡(Bq/m³)	<50	50~125	125~200	>200
	游离甲醛(mg/m³)	<0.02	0.02~0.05	0.05~0.08	>0.08
	苯(mg/m³)	<0.03	0.03~0.06	0.06~0.09	>0.09
	氨(mg/m³)	<0.05	0.05~0.02	0.125~0.2	>0.2
	TVOC(mg/m³)	<0.01	0.1~0.3	0.3~0.5	>0.5
	土壤氡浓度	同周围环境浓度	周围环境浓度的 2 倍	周围环境浓度的 3 倍	大于周围环境浓度

由于对各分项评价是定性评价，为对总的室内空气质量进行评价时拟采用百分制，因此需进行加权计算。加权方法：各项权重中醛、苯、氨、TVOC 这 4 项每项加权系数为 0.2，室内氡与土壤氡加权系数为 0.1。依照所采用的检测评价方法，制定了一个工作程序如图 7-1 所示。

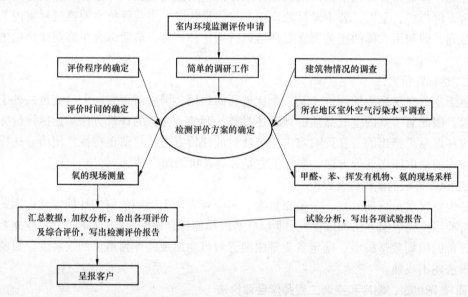

图 7-1　室内空气质量检测与评价工作程序

五、结论与展望

由于室内空气污染检测这方面国家已经出台了标准规范，规定了各种污染物的监测方法，这些方法已经相当成熟，满足了室内空气质量监测所需的精确度要求。其中一些方法，如气相色谱法，十分先进，自动化程度十分高，有一整套自动分析设备，可以自动分析给出计算结果，自动打印分析报告，操作简便，分析速度较快；再如室内氡的测量，操作十分简便，速度非常快，只需很短时间便可得到结果。这些都十分利于技术人员的培养，利于方法的推广。

当然，有些检测方法如规范规定的比色法测定氨、甲醛的浓度，操作繁杂，精确程度要求高，对操作人员的要求也十分高，需要训练有素的专业人员来操作，不利于该方法的推广。目前，已经有十分简单快速的检测仪器，如便携式甲醛现场监测仪、总挥发性有机气体检测仪等，精度高，分析速度快，适应性强，使用十分方便、简单，易操作，普通人员可以很快学会操作，便于推广。以后如能采用这些方法进行室内污染物的检测，将十分利于该评价方法的推广。

本室内空气质量评价方法采用客观评价方法，减少了不确定的因素，评价标准是对建设部颁布的国家标准《民用建筑工程室内环境污染控制规范》(GB50325—2001)进行进一步改进之后制定的，简单易用，便于人员授受，适应于目前我国室内检测评价这一领域的现状。

总之，室内空气检测评价这一领域在我国才刚刚起步，许多方面还需完善，广大从事室内空气质量检测评价的工作者还需不断进取以推进这一领域的健康成长，服务广大人民，提高人民的居住条件。

第八章 住宅小区物业管理的评价体系

一、物业管理的范畴

(一)概念

物业管理是指物业管理经营人受物业所有人的委托，依照国家有关法律规范，按照合同和契约行使管理权，运用现代管理科学和先进技术，以经济手段对物业实施统一管理，并为居住者提供高效、周到的服务，使物业发挥最大的使用价值和经济价值。

物业管理的业务可分4类。①基本业务类：包括对房屋建筑、机电设备、供电供水、公共设施等进行运行、保养和维护；②专项业务类：包括安全保卫、环境卫生、园林绿化、消防管理、车辆交通等；③特色业务类：包括特约服务和便民服务；④经营业务类：包括房屋中介服务、装修业务等。

1. 物业的特征

物业与其他事物一样，也有自己独特的性质。首先是它的自然属性，即物业是一种区别于其他物质的物质形式，它具有以下特征：

(1)固定性。表现于土地、建筑物的不可移动性或位置的确定性。

(2)耐久性。表现于长久的使用寿命期。

(3)多样性。表现于建筑物构造、外观、功能等形式的多样性。

2. 物业的社会属性

物业的社会属性，主要包括以下内容：

(1)经济属性。表现于物业的商品属性，即物业是一种商品，物业的生产、经营、交换、分配及消费等，必然也是商品化的运行过程，物业的一切运行须符合市场经济的客观要求。

(2)法律属性。表现于房地产的物权关系。在中国的法律中，房地产物权即为房地产物权人在法律范围内享有房屋的所有权，及其对占有土地的使用权。

3. 广义的物业管理

广义的物业管理，是指在物业的寿命周期内，为发挥物业的经济价值和使用价值，管理者采取多种科学技术方法与管理手段，对各类物业实施全过程的管理，并为物业所有者或使用者提供有效周到的服务。广义物业管理的范畴相当大，它涉及到物业全部寿命周期内的多种管理与服务活动。如物业的开发建设管理、租售管理、修缮管理，以及为物业使用者的经营、生产、居住而提供的多种形式的服务

4. 狭义的物业管理

狭义的物业管理，是指专业组织或机构受业主委托，按合同或契约，运用现代经营手段和修缮技术对已建物业及其业主或用户进行管理和服务。狭义的物业管理，一般包括对房屋建筑及附属配套设备、设施及场地以经营的方式进行管理，对房屋周围的环境、

清洁卫生、安全保卫、公共绿化、公用设施、道路养护统一实施专业化管理，并向住用人提供多方面的经营服务。

从以上概念的比较可见，广义物业管理与狭义物业管理的区别在于其范围的大小不同。广义物业管理涵盖较宽，包括了物业的产生到寿命终止的全部过程。在大多数的企事业组织或机构内，其内部物业的管理均体现出这种广义性的特征。而狭义的物业管理，则多体现在物业建成并投入市场后，专业的物业管理企业接受业主或用户的委托，而进行的物业使用期的管理与服务。我国物业管理行业起步较晚，物业管理的市场体系正在建立中，目前开展的物业管理多属于狭义的物业管理。随着我国物业管理业的进一步发展，广义范畴的物业管理也将出现并呈发展的趋势。

我们研究的对象：狭义的物业管理——住宅小区的物业管理。

(二)内容

住宅物业管理基本内容按服务的性质和提供的方法可分为 3 类：①常规性的公共服务；②针对性的专业服务；③委托性的特约服务。

1. 常规性的公共服务

常规性的公共服务是物业管理企业面向所有住宅提供的最基本的管理与服务，目的是确保物业完好与正常使用，保证正常的工作生活秩序和美化环境，是物业内所有业主每天都能享受到的服务。其内容和要求在物业管理委托合同中有明确规定，物业管理企业有义务按时按质提供这些服务。这些管理的基本项目具体包括：

(1)房屋修缮及其管理、装修管理等；

(2)房屋各类设施的日常运营、保养、维修及更新；

(3)环境卫生管理；

(4)绿化管理；

(5)公共设备设施的管理；

(6)消防管理；

(7)车辆道路管理；

(8)为业主代缴水电、煤气费等。

2. 针对性的专项服务

针对性的专项服务是物业管理企业为改善和提供业主的工作生活条件，面向广大业主，为满足其中一些住户和单位的一定需要而提供的各项服务。其特点是物业管理企业事先设立服务项目，并将服务内容与质量、收费标准公布，当住户需要这种服务时，可自行选择。主要内容有：

(1)为业主收洗缝制衣物、代购日常用品、室内卫生清扫、代购代订车船飞机票、接送小孩上下学；

(2)开办各种商业服务项目，如小型商场、美发厅、修理店等；

(3)开办各种文化、教育、卫生、体育类场所；

(4)代办各种保险业务，设立银行分支机构等；

(5)经济代理中介服务，如物业销售、租赁、评估、公证等；

(6)提供带有社会福利性质的各项服务工作。

委托性的特约服务是为满足业主的个别需求受委托而提供的服务。实际上是专项服务的补充和完善。

我们的研究着眼于目前房地产市场住宅小区的物业管理，侧重于常规物业管理服务。

二、物业管理的性质、内容及发展方向

物业管理是以管理房产、小区设施的环境，为集团、居民提供多项服务的一门新型的、综合性的服务行业，其经营性质属第三产业。

它的主要经营内容是：房产的管理、维修、保养；辖区的环境卫生、环境美化及管理；辖区的道路养护；通信、供水、供电等市政设施的管理；辖区的消防、治安体系的建立及管理，还可以为居民提供各种信息服务，代办各类证件、手续，开展上门服务、夜间服务、节假日服务、特殊服务等，有条件的还可以开办托幼儿、家庭教育等的服务及管理。总之，物业管理是实行全方位、"一条龙"为社会提供多功能、多项目的优质高效的服务。它的发展方向将是：改变目前一切由政府和企业投资包办的行政管理型为服务经营型，使小区管理走上市场经济的轨道。

(一)物业管理的特点

物业管理具有社会化、专业化两大特点。

社会化是指物业管理既抓社区的公益事业，又管居民的实事；既有琐碎的日常服务，又有较高层次的管理，点多面广。因此，要求物业管理首先必须得到居民的认可、信任，具有稳定的队伍，熟悉每个街区、每个住户，从而更好地满足居民的各种要求。

专业化是指所管理服务的内容专业性较强，要求管理人员业务要精通，各种专业人员要齐备，能迅速、正确地解决各种问题，并能做到合理收费，真正为居民排忧解难，服务周到。总之，良好的信誉是物业管理赖以生存的条件。

(二)物业管理的经营模式及经营者

党的十四届三中全会确定了发展社会主义市场经济的基本框架。物业管理是一个新兴的行业，旧的框框少，在市场经济条件下，必须有较高的起点、良好的运行机制。所以，物业管理的经营模式必须是独立经营、自负盈亏。经营者必须具备独立法人的资格，国有、集体、私营企业和"三资"企业都可以参与。通过合法经营、竞争，优胜劣汰，促进它的提高与发展。

由于不少地区的物业管理处在起步阶段，配套的法规、政策尚未健全，管理水平不高，新建小区的物业管理，在投入使用初期可以交由房地产开发企业经营。因为开发者熟悉小区建设情况，各类图纸档案齐全，与住户已建立了一定的联系，加上小区收尾工程、配套工程在小区基本建成后还要继续进行，因此开发者利用其雄厚的资金及其他优势，可以更好、更方便地为居民提供优质服务。

(三)物业管理与居委会、公安及有关部门之间的关系

物业管理公司是独立的具有法人地位的企业，是小区物质文明建设的主要实施者。

居委会是城市最基层的组织。

物业管理的出现，有利于居委会从日常众多的烦杂事务中解脱出来，即是将居委会原来从事的一部分业务交由物业管理来实施，这样可以使居委会集中精力抓好宣传

党和政府的政策、管好计划生育、办好文化站、调解民事纠纷、搞好民主选举、抓好精神文明建设……同时，对物业管理也可实行有效监督，协助专业队伍提高小区管理水平。

物业管理与供水、供电、环卫等行业的关系，可以借鉴目前我国一些较大企业自办家属院的管理办法，行业部门对小区实行总电表、总水表控制；小区内部物业管理部门可以在有关部门的指导下，遵照城市有关法规，建立小区的各项体系。这样居民办手续、交费、修理等就可以就近找物业管理部门解决；而一些专业性较强的行业，可以用合作经营的办法来经营。总之，物业管理的实施可以使目前的条块管理变为综合管理与服务。可以说，物业管理是联系小区与各部门的桥梁、纽带。

(四)发展物业管理的外部环境

物业管理是一个新兴的、建设现代化城市必不可以少的行业。它的问世、发展需要众多的外部条件：

首先，必须得到人们的认识、了解。要加强舆论的宣传，引导全社会和更多的人能全面、正确地认识它、利用它。

第二，目前社会主义市场经济体制尚未完全形成，在新旧体制交替下，各种关系较为复杂，要使物业管理能迅速发展，就必须理顺各种关系，使职能、职责、分工明确，减少管理层次，以利于物业管理的健康发展。

第三，尽快建立物业管理的有关法规及收费、纳税办法，使物业管理有章可循、有法可依，从而使物业管理能走上规范化、法制化的轨道。

三、我们评价的目的及意义

目前，随着房地产业的日益发展，有关物业管理的各种纠纷层出不穷，给房地产市场的发展带来不良的影响。同时，给消费者、业主也带来了无穷的烦恼。

不可否认，房地产运作中存在不法的开法商，他们在宣传营销中存在有意的欺诈行为以获得更高的利润。而对消费者来说，由于他们不可能具有太多的专业知识，对于物业管理的运作情况不具有鉴定的能力，因而在房屋出售后，出现各种各样的物业纠纷。实际中也存在极少数被称为"钉子户"的业主故意刁难，对物业管理公司吹毛求疵，提出不合理的要求。由于物业管理行业目前还不太成熟，以至于许多问题最终不了了之，无法找到令双方都能满意的解决方法。

我们的目的是为在目前不太规范的房地产市场环境下，建立一种评定标准，用来对住宅小区的物业管理做出评价，逐步完善、规范住宅小区的物业管理方面。同时，这种标准可以更好地用来指导消费者购房，最大限度地减少由于物业管理方面引起的纠纷，改善目前有关物业管理的尴尬处境。

我们的研究立场既不偏向于房地产运作商，也不偏向于消费者、业主。从中间人独立公正的角度来研究住宅小区的物业管理，对其整体作一个评价，对于已建住宅小区的物业管理总体水平划分等级，这样可以满足不同消费能力的消费群体，使得物业管理更趋于理性化。由此来引导有关住宅小区物业管理的健康发展，同时向消费者提供一种可以信赖的标准，使他们在购房时有一种参考标准，保证他们的合法利益。

四、目前国内状况

国家建设部及各省、市、自治区的建设房管部门针对这个问题都做了大量的工作。

中国第一部物业管理法规《物业管理条例》于 2003 年 9 月 1 日颁布并施行。中国社会调查所日前对北京、上海、广州、深圳、沈阳、武汉、长沙、哈尔滨、石家庄等地的 1 000 位公众进行电话访问和问卷调查，结果表明中国公众对新条例关注度非常高。

91%的被访者表示，由于自己本身是业主，所以他们非常关注这部《物业管理条例》，因为它与业主的权利和利益紧密相关，而且又是首部物业管理法规。

调查显示：在条例的起草者为物业管理行会是否妥当的问题上，约有 22%的被访者认为妥当；44%的被访者不发表意见或保留意见；33%的被访者认为这种做法不太妥当。持反对意见的公众认为法规应该由法律专家起草，经听证会听证后颁布，现在由代表物业管理企业利益的物业管理行会起草，违背了公平、公正的原则，难免有行业保护的味道。

许多公众认为，由于新条例在内容方面几乎没有任何细节描写，能够被顺利操作的内容很少，而且保护业主利益的核心问题没有体现，所以对改善物业管理现状没有什么意义，而且他们担心会出现制定法规容易、落实执行难的现象。

大多数被访者认为该条例的出台标志着中国物业管理进入法制化、规范化发展的新时期，同时有 86%的被访者认为该条例还有待完善。

此外，国家主管部门对于物业管理企业的管理资质也有相应的法规。

国家建设部门对于物业管理企业的管理资质也有相应的法规。

国家建设部颁布的《物业管理企业资质管理办法》(简称《办法》)于 2003 年 5 月 1 日起施行。《办法》规定，物业管理企业资质等级分 3 级，超越资质等级承接物业管理业务的企业将被罚款 1 万元以上。

《办法》对物业管理企业资质的具体规定如下：

一级资质物业管理企业可以承接各种物业管理项目；

二级资质物业管理企业可以承接 30 万 m² 以下的住宅项目和 8 万 m² 以下的非住宅项目的物业管理业务；

三级资质物业管理企业可以承接 20 万 m² 以下的住宅项目和 5 万 m² 以下的非住宅项目的物业管理业务。

新设立的物业管理企业，其资质等级按照最低等级核定，并设 1 年的暂定期。

《办法》还规定，一级资质物业管理企业必须具备以下条件：注册资本人民币 500 万元以上，物业管理专业人员以及工程、管理、经济等相关专业类的专职管理和技术人员不少于 30 人。二级资质者注册资本应为 300 万元以上。三级资质者注册资本应为 50 万元以上。

《办法》特别强调，物业管理企业超越资质等级承接物业管理业务的，将由相关主管部门予以警告，责令限期改正，并处 1 万元以上 3 万元以下的罚款。物业管理企业出租、出借、转让资质证书的，由县级以上地方人民政府房地产主管部门予以警告，责令限期改正，并处 1 万元以上 3 万元以下的罚款。

国家建设部出台的这些措施以及各省、市都出台的有关物业管理的收费标准、服务标准，对于规范物业管理行业都起了一定的作用。但是，我们发现这些措施是对于物业管理企业、物业收费以及物业管理服务方面的标准，而对于房地产开发以及房地产营销中的(住宅小区)物业管理的等级标准还是一个空白，不能对于不同消费能力的群体以及不同水平的住宅小区做出区分，我们认为对此做出一个能够有益于房地产业发展、有益于房地产商、有益于广大购房者(业主)的标准是一件非常有意义的工作。因此，我们尝试着来完成这个工作。

五、评价的方法及评定标准

我们的侧重点：制度还是服务？——强调服务但更侧重制度。

调查显示，51.8%的业主表示他们需要物业公司的特约服务，如送报、送奶、接送小孩、照顾老人和病人等家政服务。但物业公司认为刚性的管理制度才是最重要的。到底业主需要的是制度还是服务呢？

一段时间以来，人们对于物业管理公司的服务方式应该实行制度化管理还是实行贴心服务争论不休。在专家看来，管理与服务一个都不能少。刚性的物业管理规定和规则与令人舒心的服务，都是必不可少的。

如果没有刚性、必要的物业管理规则，就不可能有物业管理区域内的秩序，没有一个良好的秩序，就根本无法实现公平的物业管理服务。因为物业管理是一个公共服务，秩序环境是服务结果的必要保证。而管理本身是对那些违反秩序(业主公约和国家法律法规)行为的劝阻和限制，这种管理行为本身也恰恰是对广大业主的服务。由于管理缺失导致的服务向违反制度倾斜的例子已经很多。这实际上是对全体业主缴纳的物业管理费的滥用，而滥用者是那些违反制度的业主和住户们。

在目前管理水平的物业管理市场，许多物业管理公司过分强调服务，服务在他们看来就是"赔笑脸"、"有求必应"。但是，物业管理费是全体业主缴纳的，那些滥用物业服务资源的行为，本身就是对其他业主的不公平。物业管理费的收取，对应的是公平的、普遍的、公共的服务。而个别的、特定的服务，应由被服务者单独付费，只有这样才能体现公平。

在业主看来，符合实际需要的服务更让他们舒服。物业公司对业主实行一些实际的贴心服务更能打动业主的心。

一个良好的制度是物业管理的关键。小区的物业管理费都是与物业管理公司的服务项目和服务水平成正比的。物业管理公司好比一个楼盘的管理，它是一个服务行业，它的产品就是服务，除了公共的保安、保洁、花草鱼虫都要它来照顾以外，物业管理公司在自己力所能及的情况下，为业主多做一些具体的事，为一些有特殊需要的家庭提供贴心的服务未尝不可。从物业公司的角度，他们认为有付出就有回报。

权衡利弊，我们认为服务是物业管理的一个重要方面，但是从我们的研究目的出发，要建立一种标准，对住宅小区总体质量的一个方面做出一个接近于客观实际的评价，我们更侧重制度层面来确定这样一个标准。

物业管理制度是基础，物业管理除了要遵循相关的《物业管理条例》、《物业服务收费管理办法》等法规外，物业公司首先应摆正自己的位置。物业公司应该认识到，其服务的对象不仅是一套套的房子，更是一个个有血有肉的人。物业公司为他们提供最好的服务，他们就会给物业公司最优厚的回报。物业公司尊重业主做好服务，也会得到业主的尊敬。良好的物业秩序，加上业主们对物业管理企业的认真监督，才会带来公平、公正、普遍、优质的公共服务。

综上所述，我们从制度和服务两个方面探讨物业管理的评价体系，但是作为对房地产住宅小区评价体系的一部分，用来指导消费者(未来的业主)购房，我们着重从制度层面建立关于物业管理方面的评价体系。

我们针对物业管理的特征，从以下几个方面来确定住宅小区的评定标准：

(1)管理运作；

(2)房屋管理；

(3)公共设施设备的管理；

(4)治安、消防及车辆管理；

(5)保洁养护管理；

(6)绿化管理；

(7)消费及其他服务管理。

虽然服务标准是物业管理十分重要的方面，但好的管理制度才是优质服务的保证，对于每一项内容我们着重从管理制度制定评价标准。

初步将各个方面作如下打分，我们把物业管理的 7 个方面的总分定为 100 分，每一项所占分值见表 8-1。

表 8-1　物业管理各项目分值

项目	分值
管理运作	30
房屋管理	15
公共设施设备的管理	15
治安、消防及车辆管理	10
保洁养护管理	10
绿化管理	10
消费及其他服务管理	10

对于每一项的各个方面，有些比较适用于定性的描述，有的则比较适用于定量的描述，为了便于做出直观的评价，对于比较适合定性描述的方面，我们直接给出评价标准，在实际的评估操作中，我们可以结合实际适量打分。对于适合于定量描述的方面，我们根据实际可能出现的情况，给出相应的标准及分值。

综合 7 个单项的得分情况，得出综合分，即各个分项分值的算术和。

然后，我们再由此分值带入整体评价体系，来评价整个住宅的质量。

表 8-2 为普通住宅小区物业管理的标准(试行)。

表 8-2　普通住宅小区物业管理的标准(试行)

项目	标准		各子项分值	各子项得分	各项综合得分
一、管理运作(30分)	1. 物业管理公司的资质等级	一级资质	3		
		二级资质	2		
		三级资质	1		
	2. 服务与被服务双方签订规范的物业服务合同，双方权利义务关系明确		3		
	3. 承接项目时，对住宅小区共用部位、共用设施设备进行认真查验，验收手续齐全		3		
	4. 管理人员、专业操作人员按照国家有关规定取得物业管理职业资格证书或者岗位证书		3		
	5. 有完善的物业管理方案，质量管理、财务管理、档案管理等制度健全		3		
	6. 管理服务人员统一着装、佩戴标志，行为规范，服务主动、热情		3		
	7. 设有服务接待中心	公示 24 h 服务电话。急修半小时内、其他报修按双方约定时间到达现场，有完整的报修、维修和回访记录	3		
		公示 16 h 服务电话。急修 3 h 内、其他报修按双方约定时间到达现场，有完整的报修、维修和回访记录	2		
		公示 8 h 服务电话。报修按双方约定时间到达现场，有报修、维修和回访记录	1		
	8. 根据业主需求，提供物业服务合同之外的特约服务和代办服务，公示服务项目与收费价目		3		
	9. 按有关规定和合同约定公布物业服务费用或者物业服务资金的收支情况		2		
	10. 按合同约定规范使用住房专项维修资金		1		
	11. 每年至少 1 次征询业主对物业服务的意见	满意率 90%以上	3		
		满意率 80%以上	2		
		满意率 10%以上	1		

项目	标准	各子项分值	各子项得分	各项综合得分
二、房屋管理(15分)	1．对房屋共用部位进行日常管理和维修养护，检修记录和保养记录齐全	3		
	2．根据房屋实际使用年限，定期检查房屋共用部位的使用状况(1) 需要维修，属于小修范围的，及时组织修复；属于大、中修范围的，及时编制维修计划和住房专项维修资金使用计划，向业主大会或者业主委员会提出报告与建议，根据业主大会的决定，组织维修(2)	3		
	3．每日巡查 1 次小区房屋单元门、楼梯通道以及其他共用部位的门窗、玻璃等，做好巡查记录，并及时维修养护	2		
	4．按照住宅装饰装修管理有关规定和业主公约或业主临时公约要求，建立完善的住宅装饰装修管理制度(2) 装修前，依规定审核业主(使用人)的装修方案，告知装修人有关装饰装修的禁止行为和注意事项。每日巡查 1 次装修施工现场，发现影响房屋外观、危及房屋结构安全及拆改共用管线等损害公共利益现象的，及时劝阻并报告业主委员会和有关主管部门(2)	4		
	5．对违反规划私搭乱建和擅自改变房屋用途的行为及时劝阻，并报告业主委员会和有关主管部门	1		
	6．小区主出入口设有小区平面示意图，主要路口设有路标。各组团、栋及单元(门)、户和公共配套设施、场地有明显标志	2		
三、公共设备设施管理(15分)	1．对共用设施设备进行日常管理和维修养护(依法应由专业部门负责的除外)	2		
	2．建立共用设施设备档案(设备台账) 设施设备的运行、检查、维修、保养等记录齐全(1)	2		
	3．设施设备标志齐全、规范，责任人明确(1)； 操作维护人员严格执行设施设备操作规程及保养规范,设施设备运行正常(1)	2		
	4．对共用设施设备定期组织巡查，做好巡查记录 需要维修，属于小修范围的，及时组织修复；属于大、中修范围或者需要更新改造的，及时编制维修、更新改造计划和住房专项维修资金使用计划，向业主大会或业主委员会提出报告与建议，根据业主大会的决定，组织维修或者更新改造(2)	2		
	5．电梯能够在规定时间内正常运行 载人电梯 24 h 正常运行	2		
	载人电梯 8~16 h 正常运行	1		
	6．设备房保持整洁、通风，无跑、冒、滴、漏和鼠害现象	1		
	7．小区道路平整，主要道路及停车场交通标志齐全、规范	1		
	8．路灯、楼道灯完好率不低于 95%	1		
	9．容易危及人身安全的设施设备有明显警示标志和防范措施；对可能发生的各种突发设备故障有应急方案	2		

项目	标准	各子项分值	各子项得分	各项综合得分
四、治安消防及车辆管理(10分)	1. 保安(或安全警卫)和车辆实行一体化管理(2) 巡逻及管理制度落实，警卫人员的管理及训练落实；警卫人员有统一制服，熟悉辖区地形情况，认真值勤，言行规范	2		
	2. 主出入口 24 h 站岗值勤	2		
	3. 重点区域、重点部位每 1 h 至少巡查 1 次；配有安全监控设施的，实施 24 h 监控	1		
	4. 消防设施设备完好，可随时启用；消防通道畅通	1		
	5. 进出小区的车辆实施证、卡管理，引导车辆有序通行、停放	1		
	6. 进出小区的装修、家政等劳务人员实行临时出入证管理	1		
	7. 停车场管理制度落实，设有专职管理人员，管理制度完善；车辆进出登记，停放有序	1		
	8. 火灾、治安、公共卫生等突发事件有应急预案，事发时及时报告业主委员会和有关部门，并协助采取相应措施	1		
五、保洁服务(10分)	1. 小区施行标准化清洁制度，有专门的清洁队伍；管理制度落实	2		
	2. 环卫设备齐全完好，有垃圾收集设施、周转设施、果皮箱、垃圾能及时清理	2		
	3. 高层按层、多层按幢设置垃圾桶，每日清运 2 次；垃圾袋装化，保持垃圾桶清洁、无异味	1		
	4. 合理设置果皮箱或垃圾桶，每日清运 2 次	1		
	5. 小区道路、广场、停车场、绿地等每日清扫 2 次；电梯厅、楼道每日清扫 2 次，每周拖洗 1 次；一层共用大厅每日拖洗 1 次；楼梯扶手每日擦洗 1 次；共用部位玻璃每周清洁 1 次；路灯、楼道灯每月清洁 1 次；及时清除道路积水、积雪	1		
	6. 共用雨、污水管道每年疏通 1 次；雨、污水井每月检查 1 次，视检查情况及时清掏；化粪池每月检查 1 次，每半年清掏 1 次，发现异常及时清掏	1		
	7. 二次供水水箱按规定清洗，定时巡查，水质符合卫生要求	1		
	8. 根据当地实际情况定期进行消毒和灭虫除害	1		

项目	标准	各子项分值	各子项得分	各项综合得分
六、绿化管理（10分）	1. 有专业人员实施绿化养护管理	2		
	2. 草坪生长良好，及时修剪和补栽补种，无杂草、杂物	2		
	3. 花卉、绿篱、树木应根据其品种和生长情况，及时修剪整形，保持观赏效果	2		
	4. 定期组织浇灌、施肥和松土，做好防涝、防冻	2		
	5. 定期喷洒药物，预防病虫害	2		
七、收费及服务管理（10分）	1. 与业主签订物业管理服务协议、物业管理公约等手续；公开服务标准、收费依据及标准	2		
	2. 使小区能够正常运行，满足业主正常生活所需的商业网点齐全，能够提供多种服务；社会化服务质量好，开展了优质服务竞赛	2		
	3. 注重精神文明建设，制定了居民精神文明建设公约	2		
	4. 小区居民能够自觉遵守住宅小区的居民公约及各项管理规定	2		
	5. 文明居住，邻里团结，弘扬社会主义精神文明和道德风尚，共建文明住宅小区	2		

由以上 7 个分项的得分综合得到物业管理项的得分，为便于观察填表 8-3。

表 8-3　物业管理得分

单项	运作管理	房屋管理	公共设施设备管理	治安、消防及车辆管理	保洁养护管理	绿化管理	消费及其他服务管理	总分
该项总分	30	15	15	10	10	10	10	100
实际得分								

六、该评价方法存在的问题及展望

由于物业管理是一项很宽泛的概念，住宅小区的物业管理概念同样很宽泛。我们主观上想努力建立一种比较全面科学的评价体系，但实际上，即使我们不遗余力，但由于我们知识能力、水平有限及视野不够开阔，还会有一些方面甚至于在比较重要的方面不能很好地达到我们的目的。

比如说，我们认为这样的一个标准应侧重于从制度层面上来建立，就物业的管理运作来说，可以也必须高屋建瓴地更加强调制度层面。但是从房屋管理、公用设施设备的管理、治安、消防、车辆、绿化以及养护管理等方面说，我们可以要求一定的制度标准，而实际的操作中制定的标准必然是非常"细致入微"的，因为这些工作本身就是非常细节性的。综合起来，真正能够认真做好各项工作的物业管理公司并不是很多，物业管理的各种纠纷也恰恰出现在这些细小的工作中。这种情况使我们建立一种侧重制度"不拘细节"的评价标准的努力显得有些徒劳。虽然这样，我们相信这样的评价体系中必须有起到提纲挈领作用的主线，这正是我们应努力探索把握的，我们会在这个方向上继续努力以期取得突破性的进展。

物业管理也是随着时代的发展、科技的进步不断发展的一门学科。近年来，随着自动化技术和计算机应用技术的日益进步，物业管理也出现了智能化的趋势。特别是随着智能化建筑的日益成熟、智能化住宅小区的出现，相应的物业管理也必须趋向于智能化的管理。当然这与经济发展的水平有根本的联系。目前，就我国的总体经济水平来说，这样的居住水平还只是局限于经济比较发达的地区。对于普遍意义的中国实际来说，我们还处于传统意义的住宅水平。

因此，一方面从整个国家平均的居住水平来说，智能化建筑、智能化住宅小区还不太现实；另一方面，我们的知识能力水平还不能从智能化方向来讨论智能化的住宅小区及相应的智能化物业管理。因此，我们没有涉及智能化方向的研究。

但是，我们相信，随着我国经济的发展进步、人民生活水准的提高，建筑的智能化、住宅小区及相应管理的智能化将是必然趋势。我们将会密切关注这一发展方向，努力进一步从智能化的方向完善我们的这一课题。

第九章　住宅的人文资源评价体系

一、评价目的和意义

(一)评价的必要性

好的建筑，是凝固的音乐，是珍贵的艺术品，是城市中永恒的风景；好的建筑，是诗意的栖居，是人类心与身的栖息地！热销的好楼盘，除了价格、地段等经济技术因素以外，让消费者怦然心动、难以割舍的，是他们内心深处的共鸣，也就是住宅中的人文因素所激起的文化引力。

从"卖房子"到"卖家居"，从"卖社区环境"到"卖文化和生活方式"，住宅中的人文因素正在其中凸显越来越重要的价值。

学习一生，富贵一生，幸福一生。

点滴凝聚，人文之都。

文化家园，书香门第。

我们享受生活，我们了悟文化，我们融会传统，我们解释现代园。

好的建筑总是为生活舞台提供合适的背景，包括那些遥远而美好的向往……

恬静与闲适之中洋溢着生活的品位，幻想与激情的碰撞交织出现代湖畔小筑的浪漫和甜蜜。把雅致和浪漫带入年轻白领的生活。

爱情左边，亲情右边。

亲情组合，演绎亲情。

……

从这些在城市大街上随处可见的房产宣传广告中就可以看出，精明的房地产商在房产营销中无不把住宅的人文价值作为一个重要卖点。

在铺天盖地的广告宣传和媒体与房地产商的大肆炒作之下，似乎我们的生活已经充满了高尚与品位，"诗意的栖居"这一人类最美好的居住愿望已经成为了现实。然而，严酷的现实却是：充满诗意的水景住宅因为无法解决污染问题而整天臭气熏天；花里胡哨的雕塑与建筑小品因为与周围的环境不协调而显得不伦不类；在建筑风格上或者盲目照抄，缺乏创造，或者追求虚荣，建筑以炫耀为目的，造型乱抢风头，文化变成了商业工具，粗制滥造的文化当道；欧美风，新加坡风，日本的、香港的、荷兰的、拉美的建筑都来到了具有博大胸怀的中国。模仿、抄袭、复制出来的不适合个性需求的居住方式充满了我国的每座城市；而为了提高所谓的人文价值而增加的大量投资却都是由消费者来买单。

影响住宅人文价值的因素众多、边界不清、概念复杂，决不是一般消费者所能把握的。在房地产商强大的宣传攻势之下，许多消费者只能凭感觉、随大流，"人为刀俎、我为鱼肉"，任房地产商宰割，毫无招架之力。因此，建立一个客观、全面、科学、易操作的住宅人文资源评价体系来加强对房地产市场的规范，加强对住宅人文价值的认同，对引导开发商按照统一的高标准开发住宅小区，提高住宅的人文含量，提高我国住宅建设的水平有非常重要的意义。

(二)人文主义的概念与历史渊源

"人文"一词源于《易经》中译释贲卦卦辞的一则象辞"小利有攸，天文也。文明为止，人文也。观乎天文以察变，观乎人文成天下"。这样，人文在最初就与文明密切相关，它表示秩序、人间世界的条理和规范，并进而延伸出美的意思。而"人"与"文"和在一处则是指某种真善美的状态。

人文主义一词的英语原文 humanism 是从德语 humanismus 译过来的，而德语该词是德国教育家 FJ·尼特哈麦 1808 年在一次关于古希腊罗马经典著作在中等教育中的位置的辩论中根据拉丁文词根 humanus 杜撰的。后来由乔治·伏伊格特于 1985 年出版的著作中首先用于文艺复兴，书名为《古代经典的复活》，又名《人文主义的第一个世纪》。伏伊格特把那种与古典经典的复活有关的新态度和新信念称为文艺复兴时期的人文主义。一般来讲，人文主义一词通常专用于文艺复兴时期的世俗文化潮。《中国大百科全书》哲学 Ⅱ 对人文主义是这样定义的："人文主义是指欧洲文艺复兴时期新资产阶级反对封建的社会思潮。14 世纪兴起于资本主义发展最早的意大利，15～16 世纪在西欧其他一些国家得到广泛传播。"人文主义之所以得名，是"因为人文主义乃相对于欧洲的'神文'主义而言……"它是一种思想态度，认为任何人的价值具有首要意义，强调人的地位、作用和价值，重视对人的价值、人的生存意义的关注。人文主义在不同时期所关注的焦点和内容是不同的。文艺复兴时期的人文主义是新兴资产阶级学者对中世纪"神权"奴役和扼杀人性的抗争；启蒙运动时期的人文主义是资产阶级和人民群众对封建黑暗专制下"君权"蔑视人性、压抑人性的抗争；现代西方人本主义思潮则是在人类醉心于科学的伟力、拜倒在"持术理性"脚下的时刻，对维护人性尊严的又一次全面抗争；当代"以人为本"的可持续发展思想则是在反思人与自然的关系后对人的一种终极关怀。人文主义思想的每一次发展，都是在特定历史时期由于自然、社会、文化等种种原因致使人性受到压抑和摧残后人类为寻求自身发展和人性复归的必然抗争。最终，人类走向了"以人为本"的可持续发展，今天人们所说的"可持续发展"，是人们在认识了人与自然的关系之后，有意识地平衡人与自然的关系，使人与自然的关系更加和谐的一种行动。

中国传统文化的"天人合一"思想注重人的主体性，主张以人道(指人的创造智慧)与天道(指人对宇宙万物的感悟)两者相契合而实现人生价值，体现了中国古代社会人们希望与自然建立一种亲和关系的生活理想，体现出对人性的尊重和关怀。这种崇尚自然、强调人与自然和谐共处、强调建立在"协调"前提下人的主体作用的"天人合一"思想，对今天"以人为本"思想的形成具有极为重要的借鉴作用。战国时代的《易传》以天、地、人为宇宙"三才"，道家以道、天、地、人为"四天"，都说明作为认识和改造世界的主体——人和天、地、道一样重要。而古人对宇宙、空间、时间等的认识是以自己为中心的。《千字文》首句"天地玄黄"指天悬在人之上，地横在人之下，天地之间即为人，是以人为中心来描述大地的。汉代《淮南子·原道》中的时空观认为："四方上下曰宇，古往今来曰宙。"四方上下，古往今来都是以人作为原点的。因此，在"天人合一"思想中，强调建立在"协调"前提下的人的主体作用。

中国传统的"天人合一"，其中所蕴含的人与自然要和谐相处的思想，也与今天的可持续发展思想吻合。正如美国世界观察研究所瑞安(MeganRvan)与克里斯朵夫·弗莱文在其著作《世界情况报告》中《面对中国的极限》(Facing China's Limits)指出："数千年来中国文化和哲学有两个对当今世界产生重大影响的主题：与自然和谐发展及对家庭的承诺。"中国传统的哲学与可持续发展社会的现代概念是一致的，即在不损害子孙后代可能的选择和自然环境健康的情况下满足现代人的需求。

(三)住宅人文因素包含的内容

大众住宅的人文因素，即泛指大众住宅所蕴涵的、能体现大众消费者"优质廉价"的价值观，能影响消费者对住宅的功能、品质、环境，以及其表达的生活方式和社会心理之偏好程度的那些因素。对住宅消费中的人文因素的内涵作一基本界定，即以"人"为中心的人性、人情与人道属性；以"生"为本位的生存、生活和生态属性；以"民"为主体的民生、民俗和民族属性。

1. "人性"属性

是指人的自然属性与社会属性在历史沿革和时代条件下的统一。在大众住宅消费中，主要表现为"图实、能情"，也就是在消费心理上具有注重实用的理性基础，具有寄托人情与世情的情感需要。此外，人的爱美的天性、"喜新厌旧"的心态和商品社会中迎合消费潮流的趋同性，使得在现代的住宅消费心理中，显现出了求变、求新、追求时尚的特性。根据对消费者的调查，发现被调查者基本上对等地分成两种消费倾向类型，即实用型和时尚型。因此，可以把"人性"属性再分成重实用和重时尚两个子属性。前者用于分析重实用的主流消费倾向，即对住宅的要求偏重于功能实用、情理通合，也就是能够符合人情与世情的需要；后者用于分析重时尚的主流消费倾向，这类消费者对住宅的要求偏重于符合时尚潮流、迎合现代化，以及具有独创性和审美感。

2. "生性"属性

其表现是指人们为了生命的保存、延续与发展而进行的各种活动，以及人们为此与自然环境、社会环境之间产生的关系。在住宅消费中主要表现在对居住区的生态环境、生活环境和对住宅的文化品位及社会品牌的要求上。

3. "民性"属性

是指民间立场、世俗观念与地区特色。住宅人文具有"流变性"，即人文因素具有在传承中发展、变化、变迁的特征。同时，住宅人文还具有"积淀性"，即还具有流动中沉淀、积累的特征。为了更切实地把握"民性"属性对消费者心理的影响，可将"民性"属性分成"邻里交往与亲友往来的流变"和"故土情结与习俗传统的积淀"两个子属性。对"邻里交往与亲友往来"，应该着眼于"流变"；而对于"故土情结与习俗传统"，市场调查数据统计分析表明，对子女教育问题的考虑，排在消费者选房关注点的前位，这使人想起了"孟母三迁择邻"的典故，因此对"故土情结与习俗传统"这个人文关注点，应着眼于"积淀"。

二、目前国内外状况

目前，世界各国尤其是一些发达国家对建筑的社会人文方面的课题格外关注，其中日本在该学术领域中有较深入的研究，并取得有一定代表性的科研成果。表 9-1 列出的是日本将建筑融入人文环境的设计指导方法。

表 9-1　可持续的环境概念与建筑设计对应方法

环境概念			建筑设计对应方法
融入历史与地域的人文环境	继承历史	△对城市历史地段的继承 △对乡土的有机结合	对古建筑的妥善保存，对传统街区景观的继承和发展 对拥有历史风貌的城市景观的保护 对传统民居的积极保存和再生，并运用现代技术使其保持与环境的协调适应 继承地方传统的施工技术和生产技术
	融入城市	△与城市肌理的融合 △对风景、地景、水景的继承	建筑融入城市轮廓线和街道尺度中 对城市土地、能源、交通的适度使用 继承保护城市与地域的景观特色，并创造积极的城市新景观
	活化地域	△保持居民原有的生活方式 △居民参与建筑设计与街区更新 △保持城市的恒久魅力与活力	保持居民原有的出行、交往、生活惯例 城市更新中保留居民对原有地域的认知特性 居民参与设计方案的选择，设计过程与居民充分对话 创造城市可交往空间，建筑面向城市充分开敞

目前我国也加大了在这方面的研究力度，提出了很多新的居住区规划及住宅设计理念，但尚未形成系统的理论体系、方法体系和技术支撑体系，没有建立规范化的住宅人文方面的开发标准及开发操作的指导依据，没有建立住宅人文资源的评价体系。

三、评价体系具体评价内容

(一)影响住宅的人文资源的主要因素

1. 住宅建筑的人文价值

建筑是一门艺术，它在文艺美学中占有重要地位，这对于建筑行家们来说已十分熟悉，对于行外的人来说，恐怕大多数还不具备这个观念。即使是行家，其意识中的艺术概念也多半是指公共性的或纪念性的大型建筑。至于住宅建筑是不是属于艺术范畴，或者说要不要讲究审美功能？这些还是一个问题。不然，目前大量出现的住宅建筑就不会这么单调划一。如果说在现代建筑兴起以前，人们将住宅建筑仅看做是遮风避雨的生存需要，住宅建筑考虑不到它的审美功能，这是可以理解的。但今天，随着新型建筑材料的广泛应用，住宅建筑越来越以规模宏大的面貌出现。随着经济文化的不断发展，人们对于住宅建筑越来越从生存需要转为生活需要，从栖身之寄托变为实用与审美之享受。在这时，住宅建筑的审美要求就不能不提出到议事日程上来了。

平淡无奇、千篇一律、毫无个性、落于俗套，或者外表丑陋寒酸，与周围环境不协调的建筑不仅影响城市容貌，也会影响到住户居住生活的质量。

建筑是人类文明的具体标志，它与这个国家的文化传统，包括语言文学、思想意识、宗教信仰、风俗习惯等有着密切的关系。住宅建筑不仅要外形美观，也要重视建筑的精神内涵，着重于表现人的情感，以及个性、地方特色和多种多样的风格。

2. 小区的人文关怀

人文关怀，简而言之就是以人为本的思想，具体体现在深刻关注居住者包括各种特殊群体的利益与要求。真正了解居民的需求并正确地体现这些需求是住宅小区规划的成功之本，也是"以人为本"思想的出发点所在。美国著名人本主义心理学家 A·马斯洛在《人的动机理论》中将人的需求分为 5 个层次：胜利的需求、安全的需求、社交的需求、尊重的需求和自我实现的需求。他认为人们首先追求较低层次的需求，只有在较低层次的需求得到合理的满足之后，较高层次的需求才会突出出来。我们将居民对居住环境的需求分为如下 5 个层次：生理需求、安全需求、社交需求、消闲需求和美的需求。

(1)生理需求是人类最基本的需求，新鲜的空气、充足的阳光、良好的通风、没有噪声的干扰、要求冬暖夏凉等是求得生存的保证，乃是生理上优先的需要。

(2)安全需求包括个人生活不受侵犯、避免人身和财产遭受伤害和损失等，也是一种生存的基本需求，自远古至今从来如此。

(3)人与人的接触、邻里关系、互敬互爱等社会交往的需求是文明社会中必不可少的人类活动。离开社会交往城市就没有存在的必要。

(4)消闲指的是闲暇时间，消闲需求如消遣、休息、游戏、文艺、体育、娱乐等，因个人爱好不同，内容十分广泛。

(5)美的需求是指赏心悦目的景观等环境的美，在这样的空间里人们感到生活是那么美好，从而产生一种自豪感，不禁令人自觉地尊重别人并受到别人的尊重。正像俄国车尔尼雪夫斯基说过的一句话，"美就是生活"。

小区规划在满足人们正常生活的需要之外，在居住空间的领域划分还应有助于居住环境的安全防卫。领域划分就是限定空间，即将居住环境按空间领域性质分出层次，形成一种由外向内、由表及里，或由动到静、由公共到私密的空间序列。就居住外空间环境而言，按由外向内的顺序，可分为公共空间、半公共空间、半私密空间和私密空间 4 个层次。居住区边界的城市干道是公共空间，区内道路和开放空间是半公共空间，居住组团内的场院是半私密空间，住宅内的庭院则是私密空间，如此步步深入，形成各自的领域。近 10 多年来，法国等许多国家提出要在居住区的外部空间环境建立从公共空间，经半公共空间、半私密空间到私密空间的过渡序列，以保证居民的安全和增加居民的舒适感。中国传统居住形态中渐进的层次和明确的领域划分对现代居住环境的空间领域设计产生了较大的影响。以北京的四合院住宅为例，在进入四合院之前要经过大街—胡同—小巷—住宅三个空间的转折，由开敞热闹的公共领域，经半公共空间(胡同)和半私密空间(小巷)逐步进入封闭、私密的居住空间。四合院只有一个大门对外，其余基本上是封闭的实墙，保障了安全、宁静的内部居住环境。

社会公共活动空间要能适应居民行为和心理的要求。从居民的文化行为和社会行为要求出发，住宅区里应该规划设计有公共活动的场所，要有居民彼此交流的地方，有小孩嬉戏的地方，有老年人相聚的场所。住宅区里公共活动场地的选择和布局，应适应居住心理的要求，注意环境的宁静，适当把动区与静区分开。车辆进出通道和停放地点尽可能避免对安静居住的干扰。

在住宅的小区规划中应体现对人本身的一种尊重。如健身、游乐设施的对象主要考虑老人、孩子的户外活动，它的尺度应与人体力学诸尺度相适应，并从材料的色彩、质地和化学性质上都要考虑人与其相接触时的舒适性和安全性，以及使用的耐久性。另外，应按照不同年龄层次，设置不同的活动设施。比如，老年人和幼儿是中心绿地的全天候使用者，前者需悠闲散步，后者则学步奔跑，因而不宜在中心绿地多设硬地，应多铺草坪、种植灌木和高大的乔木；适当安排桌椅，使老人可以休息、聊天、打牌；设置色彩鲜艳、造型活泼的木制娱乐设施，供幼儿玩耍，旁边还应设坐椅，为照看幼儿的大人提供方便；再比如，成年人以清晨锻炼和晚间散步活动为主，这就要求小区内要有较为开阔的空间、草坪、铺装硬地；考虑到往往有众多的练功、练拳者，还可设置一个领操台等。应真正做到"以人为本"。

　　3. 住宅所在区位的人文环境与资源

　　住宅的人文环境可划分为教育学习、娱乐休闲、社会治安和邻里素质等 4 个方面。几乎所有的购房者都对物业周边的教育水准非常关注，尤其是幼儿园到初中这一阶段。近年来小学取消升学考试，改为电脑派位，购房者对高水准学校的需求更为迫切。不仅孩子有教育问题，购房者本人也有不断学习的要求。物业周边是否拥有图书馆、培训中心、进修学校等设施，是关系到住宅人文环境的重要因素。

　　物业周边娱乐休闲设施包括餐饮、娱乐(剧院、影院、歌厅、酒吧、游乐场等)、健身(泳池、球场、保龄球馆、高尔夫训练场等)3 个方面。应遵循以下两个原则：一是内外有别；二是物尽其用。所谓内外有别是指娱乐休闲设施档次要全，既能满足家庭娱乐的需要，又能体面周到地接待亲朋；所谓物尽其用是指这些设施要能与购房者自身的消费水平与性格爱好相适应，真正能为生活增添乐趣。

　　住宅所在区位的社会治安状况也是人们购房时所考虑的重要因素之一。

　　住宅的周边如果有浓郁的人文气息和悠远的历史沉淀，能充分体现社区人杰地灵的底蕴，无疑会成为人们所向往的居所。如居住区的周边有名胜古迹、人文胜地、著名大学、标志性建筑、重大的文化场馆、重要的文化单位等，都能给住宅的人文资源增色不少。

　　(二)本评价体系的评价方法和原则

　　本章主要从当前住宅设计存在的问题出发，将对住宅人文资源的总的评估科学地分解为若干个评价因素。构建该模型的基本思路和技术路线是：首先，在理论研究的基础上，将其分解为 3 个属性块；之后按住宅生产和消费服务中应把握的主要人文资源点，从每个子属性块中，提出若干个住宅人文资源的主要评价因素，对这些因素进行归纳、分析、分解，建立住宅人文资源的指标体系；然后赋予每一个指标一个分值，形成指标量化体系；最后建立评定标准。

　　评价指标的选取和量化直接决定着评价结果的优劣，住宅人文资源的因素是纷繁复杂的，要从中筛选出合理的评价指标，必须遵循以下原则：

　　(1)整体完备性，即所选的指标能够全面地反映住宅人文资源。

　　(2)科学性，即能够准确地反映人们对居住人文环境的要求。

　　(3)相互独立性，即要求在指标选取时考虑指标间所代表的影响要素具有一定的独立性，尽量避免指标重叠。

　　(三)评价等级标准及评价方法

　　住宅人文资源的因素非常复杂，且很多指标没有量化标准，只能定性评价。本评价体系将各指标分为定性指标和定量指标两种。对于这些定性指标，在很大程度上要求进行主观判断，可由具体操作人参考住宅所在地区的具体条件给出。本体系的每一指标满分均为 100 分，共分为优、良、及格、不及格 4 个等级。每一等级所对应的分值如下：优为 100 分，良为 80 分，及格为 60 分，60 分以下为不及格。

评价时评价人员首先按照住宅人文资源评价表(见表 9-2)所列各评价指标对所要评价住宅的区域环境进行调查；然后按照调查结果填写住宅使用功能评价表；再将每一单项指标所得分值乘以该单项指标的权重；最后对结果进行累加，将累加结果除以 100 即得该住宅人文资源的评价总分。

表 9-2　住宅人文资源评价表

评分项目	单项指标		指标性质	权重	评分				得分
					优	良	及格	不及格	
住宅建筑的人文价值(16分)	外观亮丽		定性	4	○	○	○	○	
	新颖独创		定性	4	○	○	○	○	
	与环境协调		定性	4	○	○	○	○	
	有文化内涵		定性	4	○	○	○	○	
住宅小区的人文关怀(40分)	领域划分与组团布置	安全性	定性	2	○	○	○	○	
		可识别性	定性	2	○	○	○	○	
		交往性	定性	1.5	○	○	○	○	
		方便性	定性	1.5	○	○	○	○	
	活动场所	大堂与会所	定性	2	○	○	○	○	
		广场	定性	2	○	○	○	○	
		保健与休闲场所	定性	3	○	○	○	○	
	小区景色	园林秀丽	定性	5	○	○	○	○	(该项得分为3项指标中最高得分)
		绿化亲水	定性	5	○	○	○	○	
		有生活情趣	定性	4	○	○	○	○	
	老少辈的就近分居		定性	3	○	○	○	○	
	老人活动场所	数量充分	定量	2	0.5 m²/人以上	0.3～0.5 m²/人以上	0.2～0.3 m²/人以上	0.2 m²/人以下	
		无障碍	定性	1.5	○	○	○	○	
		易识别	定性	1.5	○	○	○	○	
		易达性	定性	1.5	○	○	○	○	
		易交往	定性	1.5	○	○	○	○	
	儿童活动场所	场地宽敞	定量	1.5	0.6 m²/人以上	0.4～0.6 m²/人以上	0.2～0.4 m²/人以上	0.2 m²/人以下	
		设备丰富	定性	1.5	○	○	○	○	
		安全保障	定性	1.5	○	○	○	○	
		易于成人监管	定性	1.5	○	○	○	○	
	儿童保教	幼儿园数量与质量	定性	3	○	○	○	○	

评分项目	单项指标		指标性质	权重	评分				得分
					优	良	及格	不及格	
住宅所在区位的人文环境及人文资源(44分)	人口密度(人/hm²)		定量	2	300以下	300~500	500~800	800以上	
	年均举行文体活动次数		安量	2	20次以上	10~20次	1~10次	0次	
	邻里素质	人均受教育程度	定量	1	80%的人为大学以上学历或有高级职称	80%的人为高中或中专以上学历	80%的人为初中以上学历	80%的人为小学学历或文盲	
		人均文化消费水平	定性	0.6	○	○	○	○	
		具有大学学历以上人数占有比例	定量	0.6	70%	30%~70%	5%~30%	5%以下	
		道德水平	定性	0.6	○	○	○	○	
		环境意识	定性	0.6	○	○	○	○	
		法制意识	定性	0.6	○	○	○	○	
	社会治安	年均治安发案次数/千人	定量	2	0次	0~5次	5~10次	10次以上	
		社会稳定性	定性	2					
	教育资源	小学 距离	定量	2.5	100m内且不穿过车行道	100~300m且不穿过城市道路	300~500m且不穿过城市主要干道	500m以上或穿过城市主要干道	
		小学 质量	定量	2.5	排名在全市前3名	排名在全市前20名	一般	极差	
		中学 距离	定量	2	300m以内	300~500m	500~1000m	1000m以外	
		中学 质量	定量	3	排名在全市前3名	排名在全市前10名	一般	极差	
		大学	定量	2	大学密集地区	有一两个大学	有一两个大学,但距离较远	周围无大学	
		成人培育、培训机构	定性	2	○	○	○	○	
	娱乐休闲场馆人均建筑面积(m²/千人)	影剧院等娱乐场馆	定量	1	200以上	150~200	100~150	100以下	
		体育、健身场馆	定量	1	150以上	100~150	50~100	50以下	
		图书馆等文化场馆	定量	1	100以上	60~100	30~60	30以下	
		商业服务	定量	1	900以上	700~900	500~700	500以下	
		金融邮政	定量	1	30以上	20~30	10~20	10以下	
		医疗卫生	定量	1	80以上	50~80	30~50	30以下	

评分项目	单项指标		指标性质	权重	评分				得分
					优	良	及格	不及格	
所在区位的人文环境及人文资源	与公园距离		定量	1	100 m 以内	100~300 m	300~600 m	600 m 以外	该项得分为7项指标中最高得分
	区域商服繁华度	商场数量、等级	定性	1.5	○	○	○	○	
		医院数量、等级	定性	1.5	○	○	○	○	
		距商业中心距离		2	100 m 以内	100~300 m	300~500 m	500 m 以外	
	人文资源	历史名胜	定性	6	○	○	○	○	
		人文胜地	定性	6	○	○	○	○	
		重大的文化场馆	定性	6	○	○	○	○	
		重要的文化单位	定性	5	○	○	○	○	
		著名大学	定性	5	○	○	○	○	
		标志性建筑	定性	5	○	○	○	○	
		其他	定性	5	○	○	○	○	

评价等级及其说明：本体系评价等级为 A、B、C、D 四级。100 分为 A 级住宅；80~100 分为 B 级；60~80 分为 C 级；60 分以下为 D 级。

四、本评价体系的优缺点

本评价方法具有适应性强，覆盖面广，指标选取全面、科学，操作性强等特点。

由于住宅的人文资源研究涉及的内容和学科很多，诸如建筑学、城市规化学、论理学、文化学、美学、历史学、经济学、社会学、心理学、政治学、哲学和宗教等，再加上时间的仓促以及作者水平和能力有限、参考资料有限以及研究条件的不足，难免在研究住宅人文资源的影响因素分析指标选择及评价调查及方法应用等方面存在许多不足之处，有待继续研究。

关于人文资源研究体系，继续深化研究的方向有以下几个方面：

(1)住宅人文资源是一个不断变化更新的概念，其内容随着人们生活方式、生活水平的发展而发展，是一个较难把握的研究对象，有待从更为本质上去分析与确定。

(2)住宅人文资源的影响因素即评价指标，目前有许多不同的见解，没有一个较全面、大家认可的观点。在住宅人文的理论方面还有待继续研究。

(3)住宅人文资源是一个非常广泛而难以有统一标准的概念，不同的地区、不同的地段，以及不同的住宅小区规模、建成入住年代的差别都可以得出不同的结论。因本人能力与时间的限制，对这些差别因素的影响并没有做详细的研究。

(4)本评价体系的可行性与实用价值有待在实践中去摸索、检验并予以完善。

第十章 区域环境评价体系

一、重要性及意义

随着人民生活水平的提高，人们越来越注重自己的住宅区域环境的质量，随之在房地产市场兴起了一场轰轰烈烈的住宅环境革命，健康住宅、绿色住宅、生态住宅成为房地产市场的亮点，开发商也借此概念来吸引购房者的注意。但目前对于住宅区域环境的定义及评价尚处于发展阶段，所以本章对此做初步尝试。

区域环境作为商品住宅评价体系中的重要组成部分，对于购房者来说区域环境最直接的感受也即周围的居住环境。本章做有关住宅区域环境评价最主要的目的也是从居住环境的角度并综合其他方面的因素来进行评价。

首先应对居住环境设计作初步了解。

居住环境设计就是指建筑的总体布局，包括满足在日照、通风、采光、隔音、防噪、防视线干扰等方面的性能；社会生活所需服务设施的配置；居住区内交通线路的布置；绿化环境与景观的处理；外部建筑造型的协调和多样性；各种空间层次的变换等各种物质和精神功能，以达到为居民创造经济上合理、生活和心理功能上方便舒适、安全卫生和优美的居住环境。

居住环境设计始于经济发达国家。20世纪50年代，工业化相应地带来了严重的污染，如水污染、土地污染、空气污染和噪声污染等，使城市居民遭受极大的伤害。环境质量恶化引起各国和人民的关注，尤其是工业发达国家首先开始重视居住环境的设计问题。

英国是世界上最早研究居住与环境问题的国家，1909年英国制定了"住宅与城市规划法"，提出"舒适性"的概念，但当时"舒适性"的含义着眼于"生活"，而不是"生存"，至20世纪30年代以后"舒适性"含义中才增加了有关防止环境污染的内容。日本在第二次世界大战后在居住区规划设计中引入了"舒适性"概念。70年代初，日本根据调查研究的结果，从实际出发，制定了改善居住环境的方针政策，认为居住与环境的设计必须达到4项要求：①安全；②卫生；③方便；④舒适。这些政策的制定为居住环境设计奠定了早期的理论基础。原苏联自20世纪50年代起开始研究居住与环境问题，建立了自己的理论体系，认为居住环境牵涉到的内容和部门十分广泛，既包含研究对象与外界的相互关系，又包含研究对象自身内部的各种成分及其相互关系，故让住宅生态学来专门研究居住环境设计。住宅生态学的研究对象为居住区和居住区的人及其与外部空间的关系。住宅生态学的研究目的是获得生态平衡，保证居民健康，满足居住区的功能要求，创造一个安全、舒适、优美的环境。

20世纪70年代后期以来，居住环境设计的重要性日益被人们所认识。人们对居住环境的质量较为敏感。在为居住区创造物质条件的基础上，同时重视居住区的社会功能和在精神、心理上的作用。1977年的国际马丘比丘宪章指出"要索取获得生活的基本质量，以及与自然环境的协调"，"人的相互作用和交往是城市存在的基本依据"。1981年国际建筑协会华沙宣言提出人—建筑—环境三位一体互相关联的口号，从而使社会学、心理学、环境学、生态学、建筑学、工程学、园林学互相渗透，形成多学科的综合研究，推动了居住环境设计的进步和发展。

另外，在近代居住区规划中，国际上在近10年内盛行对住宅社会学和环境建筑学的研究。住宅社会学是研究住宅与社会各因素，人的心理需求、行为需求、情感意志、文化趣向，环境因素，经济情况，政策变化等方面相互关联、互相作用的学科，以促进住宅研究更加科学，使居住区规划更接近于社会、接近于人。此外，在规划中还提出"弹性"理论，即要求规划以远应近，考虑社会的发展变化，在规划中留有不可预测的可变余地。环境建筑学的基本观点是住宅规划设计不应仅局限在内部空间，而且要考虑整个居住环境，要考虑与内部空间不能分割的外部空间、公共设施以及住宅在城市中的位置，应从住宅在与周围环境的辩证关系中来评价和探求住宅的质量。

近年来国际上普通认为，居住环境设计应主要贯彻以下几项任务：

(1)结合自然、人工、社会、经济等因素，确定所设计环境的使用性质、人口密度、建筑密度或建筑容积率。

(2)考虑不同功能的用地分配和相互关系，确定交通系统、信息系统和公共设施的布局。

(3)充分利用当地环境范围内的地形、地貌等自然因素，合理组织空间，考虑景观，突出主要的自然特征，结合建筑造型，塑造人工环境，使自然环境和人工环境协调统一。

(4)确定环境小气候、声环境、空气环境等方面的定量数值。

(5)尊重民族和地方特点，力求形成具有历史连续性的环境气氛。

在现代生活中，人是中心，人造环境，环境造人。因此，居住环境设计一方面要以人为核心，尊重人、关怀人和服务人；另一方面，正如国际建筑师协会在1993年《芝加哥宣言》中所指出的："我们今天的社会正在严重地破坏环境，这样是不能持久的，因此要改变思想，以探求自然生态作为设计的重要依据。"20世纪50年代之后，科学技术突飞猛进，不仅为人类提供了全面认识自然的崭新手段和雄厚的物质基础，而且开辟了许多深刻把握自然的新兴学科领域。借助现代科学技术，人类对自然生态系统的动作及平衡有了前所未有的认识，开始懂得自然生态系统是一个独立的整体，具有自己的完整性和特殊的需要。如果忽视了这种完整性和特殊性，就不可能处理好人与自然的关系。人工生态系统不能脱离自然生态系统这一基础，在人类凭借现代科学技术干预自然之前，必须认真考虑干预可能给生态系统带来的变化，确保这种变化不超过生态系统能够承受的限度。换句话说就是设计要尊重自然环境，将人类生存居住的建筑空间同自然环境有机地结合起来。

1986年在日本大阪举行以"城市绿化的战略规划"为主题的国际讨论会，大会发表了《大阪宣言——给予城市以新的自然活力》。宣言中提出："未来的城市要给人类的幸福和全世界的社会发展做出贡献，必须通过绿化来创造一个安静的自然环境"。英国在近年来城市和居住区建设中提出"生活要接近自然环境"的设计原则。美国哥伦比亚新城规划在居住环境中利用大自然中的阳光、空气、水、树木、花、草、虫、鸟等自然因素，不仅能改善居住区的微观小气候，而且能让居民感受到大自然的生命力，给人的心理上造成生机盎然、欣欣向荣的情感。

(一)设计原理

结合自然的设计遵循下列几个设计原理。

1. 整体性原理

世界上任何事物总是相互联系、相互作用、相互制约的。作为城市整体环境中的一部分的居住环境，无论是人工环境的建设还是自然环境的开发，都必然要与整体环境发生多方面的联系。具体到每个居住区的规模、内容、规划结构、功能布局乃至建筑物的密度、高度、造型、风格等都应纳入城市主系统的循环网络中，从整体上考虑，将人、社会与自然视为一个完整和谐的系统，从而把设计与生态系统的稳定联系起来，并利用自然规律进行设计。

2. 多样性原理

生态学的多样性原指复合生态系统内各种生态年龄群落的混合，运用到城市建设中，多样性概念被赋予了更广泛的社会含义，不仅包括物种多样性，还包括宏观功能多样性和人类活动场所的多样性等。多样性原理即指通过各种人类居住的基本功能单位(如建筑物和开放空间)的生态位重叠，在较小的空间内创造多样性的居住环境。北京菊儿胡同的"类四合院"设计，在保持单元式公寓的私密性与四合院邻里关系的基础上，探讨具有传统特点而又新颖的四合院居住类型，便是创造多样性居住环境的尝试。

3. 经济性原理

经济性包括两方面，即生产性和有效性。生产性是指设计中考虑景观的生产价值，如观赏游乐与木材、果物、鱼类生产相结合的绿地设计。有效性即指耗费最小的原则。在城市这一人工系统中，就应该尽量借鉴自然系统的运行方式，加强系统内部的良性循环与优化，实现物质与能量的高效利用，尽量减少从外界输入城市的物质和能量，尽量减少城市抛向自然的废弃物。

(二)设计方法

结合自然生态的居住环境设计，可从结合气候、结合地质水文条件、结合动植物等方面入手。

1. 结合气候设计

光和风是影响居住环境舒适性的主要气候因素，为此住宅建筑应争取向阳布置，建筑组合布置应尽可能迎着夏季的主导风向，使风能进入小区内部并避免在人口稠密地区形成城市热岛效应。如果达不到"负阴抱阳"的自然效果，也可以尝试采用"南敞北闭"的方法形成"人工风水模式"。另外，考虑设计地域的主导风向，将运动场、休息娱乐空间、人行步道等人停留较久的地方设置在远离交通干道和空气污染源的地方。

2. 结合地质水文条件

地形地貌影响着居住形态，如在滨水环境中，临水而建的住宅常与河岸的流线相协调呈锯齿形或曲线形；而在山地和丘陵地带的民居常采用吊脚楼或半面楼的形式，这种架空下部的做法可适应各种复杂的地形变化。故而在居住环境设计中，应做到因地制宜、突出地域特点。例如在处理坡地住宅时，一方面可通过住宅水平或垂直错接来减少填挖土方量；另一方面可以利用阳坡面压缩住宅间距又保持必要的日照通风，这样既节约了用地，又能使外环境空间层次多变、轮廓丰富，体现出山地特色。

另外，在城市的开发中不可避免地会对地下水造成影响，严重的甚至引起洪泛、侵蚀、水污染、水短缺和地面下沉等灾害。好的环境设计就应在整体考虑的基础上，达到节约用水、控制径流、补充地下水、减少和防止水文灾害等目的。具体做法有：

(1)尽可能保持区域内的湿地和水体以储存雨水，并通过设计把水体和湿地结合到建筑的外部空间系统，为居民提供休息娱乐场所。

(2)尽可能利用广场、停车场及屋顶保持和滞留的水，降低径流。

(3)由于城市开发形成大面积非渗透性地面是洪灾和河堤侵蚀的原因，因此应控制开发后的径流，如用植物—土壤系统形成"过滤带"等。

(4)根据土壤质地决定开发强度以保护渗透性土壤，从而增进地下水的回复和补充。

3. 结合动植物设计

"作为人类既富裕又安全和愉快的环境，应该是有作物、森林、湖泊、河流、沼泽、海洋和荒地的景观"。理想的居住环境最好是整个城市能有一个互相联系的平面和垂直绿化生态系统将开放空间联系起来，除了可以利用绿化系统调节微气候，吸收和过滤污染物，固坡、稳定土壤和吸引雨水径流外，还可以利用和开发区域内的自然动植物，促进生态系统的良好循环。在瑞士有人曾模拟污水氧化糖的处理过程，将 200 人居住区的废水沿山坡设计成多级瀑布雕塑，以达到净化水质的效果。

(三)设计特征

居住区域环境应满足以下几个基本特征。

1. 舒适性

居住环境的舒适性是指使用上和视觉上的感受，让居民体验轻松、安逸的居住生活，避免受到眩光、气候等的侵害。使用上的舒适，包括各种设施是否以人体工程学的原理创造使用的合理，是否从环境心理学的角度创造满足人们活动的空间，这些都直接关系着各类空间及设施的效能，从而影响到居民生活的质量。视觉上的舒适，要满足不同地区居民的传统生活习惯和对环境景观特点的认同。有的学者认为，舒适性要求的最基本要素是安静、空气和绿化，同时要避免居民视域内各种有害要素的干扰，如灰尖、烟气、混乱和过分引人瞩目的招牌，以及快速移动的各种交通行为。

2. 健康性

居住健康性包括空气、噪声和环境卫生等与人身体健康密切相关的内容。居住环境空气要保持清新、自然，防止各种有害气体和物质的浓度超标。居住环境的实体要素如住宅和其他设施的布局要能组织其有效的、良好的自然通风系统。阳光是万物之源，阳光中的紫外线具有杀菌、抑菌和净化空气的作用，儿童和成人也离不开阳光。阳光能促进合成维生素 D，有加速钙质吸收的作用。各国政府相关部门都规定了住宅接受日照时数的标准，以确保居民的健康。噪声会使人烦躁不安，引起人的各种疾病，从而危害人体健康。我国政府有关部门制定了环境噪声控制标准。噪声控制要通过环境的总体规划和单体的细密考虑来实现。当然，公共环境卫生的好坏更直接关系到人的身体健康，其中更多地涉及到居民的文明素质和整个社区环境的管理问题。健康性还指空间品质的健康，要求环境具有蓬勃的朝气，以感染居民，使居民具有良好的心态。同时，健康性还要求有利身心健康的设施、空间配套齐全，满足居民锻炼身体的需求。

3. 安全性

安全是人生存的首要条件，没有安全性也就谈不到其他各方面的特征。居住环境的安全性表现在日常安全系统、防灾系统、防盗系统等方面。在日常安全系统中，居住环境的道路交通应尽量减少车辆与行人的交叉，做到人车分流；各种设施尤其是儿童、老人与残疾人的活动设施要尽量做到适合不同人的需要，达到无障碍设计的要求，提高安全性等级；住宅布局及儿童活动场地的设置要考虑家长方便的视觉监控。防灾系统要考虑火灾、地震、战争的特殊危害，在消防、抗震、人防等方面满足相应规范、标准的要求。在社会秩序比较稳定的时候，也应考虑防止盗窃、抢劫行为的发生。在居住环境中，通过控制空间的领域性和开放性程度，可以在心理上有效地控制犯罪的发生，加强可防卫性。

4. 通达性

所有居民包括残疾人、老年人、儿童都应能通过步行到达环境中创造出来的各个空间场所，做到安全、无障碍，不被各种设施所阻隔。通达性保障着居住环境各种功能使用的效率和效果。通达的可选择性体现了社会公平与实现多样需求的目标。通达空间的层次决定了道路的性质和等级，私密性强的空间，道路的等级低，交通性弱，通达性也小。根据不同空间的属性确定通达性等级是居住环境设计的一个重要内容，要注意避免私密性强的空间具有强通达性的情况发生。

5. 识别性

居民是居住环境的主体，居民要求所处的环境具有基本的识别性，让居民分辨出自己的住宅以及自身在空间环境中所处的位置、方向，进而掌握环境构成模式和组织规律，以便按不同时间和场合的需要，以最佳的方式到达自己想去的位置，参加自己的活动。强化识别性，需要赋予外部空间以视觉上鲜明的个性。凯文·林奇在《城市的印象》中提到："一个有效的城市意象，首先其对象必须具有识别性，这指的是它能有别于其他东西，可以作为一个独立的实体而被认知，这就称为识别性，不是与它物等同的感觉，而是个别性或独一性的意思。"

当然，识别性不仅是视觉上特征，而且具有重要的社会作用，即将环境特征转化为个人与群体、个体与区域的相互关系上，这时环境的识别性转变为人对环境的认同感，成为识别性特征的最终目标。

6. 领域性

居住环境不同于一般公共环境，它的领域性要求强烈，层次多样。美国学者奥斯卡·纽曼提出的空间概念认为，人的各种活动都要求相适应的领域范围，他把居住环境归结为由公共性空间、半公共性空间、半私密性空间和私密性空间 4 个层次组成的空间体系。领域性反映了居民对空间环境占有与控制的要求，领域在空间上是固定的，不随人的移动而移动。舒尔兹认为："领域是由场所构成要求的闭合性或近接性以及类同性所决定的。"他把领域和场所的概念区别开来，认为领域"包含着我们不归属的、而且没有作为目标功能的区域"。但是，在居住环境这样的特殊范围内，所有的区域都应有场所感，因此领域和场所在这里概念应该是一致的。

7. 多样性

多样性的要求是基于不同人群的年龄、职业、喜好、修养、文化等要素而产生的，而且总是处于不断发展、变化的动态过程中。空间的创造、设施的设计并没有一个模式，中国造园艺术谓之"造园无格、借景有因"，说的就是无需固定的格局、方式，要因地制宜地将景观组织起来，各种景色皆可为我所用。地理与文化的不同、民族与历史的不同、传统与宗教的不同，都能成为创造多样环境景观的源泉。

8. 和谐性

多样的外部环境各要素之间做到和谐统一，避免不同形式、风格、色彩的要素产生冲突和对立。同时，环境构成要素作为实体来构成空间，空间才是环境的主角，各要素需要为环境和谐的整体利益而限制自身不适宜的夸张表现，使各自的先后、主次、从属分明，共同构筑协调、统一的环境景观。

9. 连续性

舒尔兹认为"不论任何环境结构，一般都是以景观空间的连续性为前提"。在居住环境景观空间中，连续性是指空间界面的连续，其中主要包括建筑、道路、铺地、绿化、小品等。界面连续除带来视觉上的整体感外，也会造成空间的穿插和流动。连续性的方式包括比例、尺度、细部、色彩、材料、构图等的综合运用，使人感受到一个单一而又关联、复杂的有形实体，为个性的形成提供条件。同时，应注意居民在居住区内不同时间、空间、方位的视角和活动方式，进行全方位的景观设计，努力创造步移景异、延绵不断的效果，尤其要注重节奏、形式、色彩与空间的协调。

10. 文化性

居住环境的文化性体现在地方性和时代性当中。自然环境、建筑风格、社会风尚、生活方式、文化心理、审美情趣、民俗传统、宗教信仰等构成了地方文化的独特内涵。居住环境应该是这些内涵的综合体，它的创造过程也就是这些内涵的不断提纯、演绎的过程。单纯追求形式的标新立异，背离功能、技术和心理的行为，就违背了居住的文化需求。传统文化与现实生活的割裂，将给人带来精神上的失落和茫然，居住环境应该是一个能够恢复居民对城市的记忆和体验，并且充满文化意义的场所。应当充分考虑传统生活方式的特点，寻找与现代居住空间环境的契合点，以不同的方式，从空间形态、尺度、界面的色彩、细部表达对传统与现代的理解，延续文化脉络。环境的文化性还体现在环境与人的行为互动过程中，美好的环境提升居民的自觉意识，而文明的行为活动反过来又促进环境品质的提升。

11. 生态性

回归自然、亲近自然是人的本性，也是全球发展的基本战略。引入自然界的山、水、绿化，模拟自然风光，也是居住环境的基本要求。美国著名的景观建筑师西蒙德认为："应该把自然(山、峡谷、阳光、水、植物和空气)带进集中计划领域，细心而有系统地把建筑置于群山之间、河谷之畔，并于风景之中。"具有生态性的居住环境能够唤起居民美好的情趣和情感的寄托，人与大自然共息栖，才能体验到永恒的真理，"天人合一"的哲学思想是美的最高境界。

二、评价方法

目前许多评价体系中都有关于区域环境评价的方法，比如国家住宅与居住环境工程中心制定的《健康住宅评价因素与评价指标体系》和建设部制定的《商品住宅性能认定管理办法》。但是，由于前者对于住宅居住环境评价所涉及的因素太多太细，进而限制了其在实际应用中的可操作性；而后者未将区域环境作为一个独立的系统，而是将其分散包含在其他方面，不能全面地对住宅区域环境进行评价。

鉴于此，在做有住宅区域环境评价的时候，应在力求做到能较为全面地反映住宅周边的居住环境的同时，争取做到具有较好的操作性。

具体评价方法见表10-1。评价等级标准可参照本书第九章有关内容。

表 10-1 住宅区域环境评价指标及评分细则

评价项目	评价指标	所占分值	得分				结果
			分值	良好	合格	不合格	
规划	1. 选址恰当，与周围环境协调	10	2	2	1	0	
	2. 建筑布置结构清晰，功能分区应达到公私分区、动静分区、洁污分区标准		2	2	1	0	
	3. 区内公共建筑、住宅建筑布局满足人心理和感官上的要求，即具有一定的私密性，无压抑感		2	2	1	0	
	4. 与外界有良好的视觉、信息沟通渠道		2	2	1	0	
	5. 住宅建筑设计应方便邻里之间交流、沟通		2	2	1	0	
道路交通	1. 道路系统构架清楚，分级明确，与城市道路衔接合理流畅，方便与外界联系	10	2	2	1	0	
	2. 道路简洁、顺畅，能避免城市或过境交通穿越，能满足消防、救护、救灾等要求		2	2	1	0	
	3. 人行与车行组织有序，避免对居住活动的干扰，机动车停车位设置恰当，自行车停车位隐蔽、方便		2	2	1	0	
	4. 出入口选择恰当，便于居民出行		2	2	1	0	
	5. 道路设计符合无障碍通行的规定		2	2	1	0	

评价项目	评价指标	所占分值	得分				结果
			分值	良好	合格	不合格	
区内自然环境	1. 每套住宅至少有一个居室获得日照。有 4 个或 4 个以上居住空间时，其中应有两个以上空间获得日照	38	6	6	4	0	
	2. 主要功能空间在自然状态下有居室穿堂风，且室内无通风死角		6	6	4	0	
	3. 区内空气质量		6	6（达到一级标准）	4（达到二级以上标准）	0（未达二级标准）	
	4. 区内噪声		6	6（白天≤45dB，夜晚≤40dB）	4（白天≤50dB，夜晚≤45dB）	0（白天＞50dB，夜晚＞40dB）	
	5. 污水处理达标排放率(%)		6	6(≥90)	4(≥80)	0(＜70)	
	6. 中水回收率(%)		4	4(≥40)	2(≥30)	0(＜30)	
	7. 雨水回收率(包括地下水补充)(%)		4	46(≥40)	2(≥30)	0(＜30)	
环境卫生	1. 每 1 000～1 500 户应设公共厕所一处，且符合《城市公共厕所规划和设计标准》	15	5	5	3	0	
	2. 垃圾分类率(%)		5	5(≥80)	3(≥70)	0(＜70)	
	3. 垃圾收运密闭率(%)		5	5(100)	3(≥70)	0(＜70)	
绿地景观	1. 绿地率(%)	12	3	3(≥40)	2(≥35)	1(＜30)	
	2. 绿地绿化率(%)		3	3(≥80)	2(≥70)	1(＜70)	
	3. 垂直绿化面积比率(%)		3	3(≥30)	2(≥20)	1(＜20)	
	4. 绿地景观布置合理、造型美观、具有艺术观赏性		3	3	2	1	
方便性	1. 有教育设施	15	3	3	2	0	
	2. 有健身、娱乐设施		3	3	2	0	
	3. 公共医疗设施齐备，医务和保健工作人员与住户人员之比应不小于 1:2 000		3	3	2	0	
	4. 达到 500 户居民以上者，应设老年之家		3	3	2	0	
	5. 汽车停车位平均每户不少于 1.0 个且不低于当地标准，并留有发展余地		3	3	2	0	

三、本系统所存在的缺陷

在做区域环境评价设计时，应做大量认真、细致的资料收集及研究工作，力求使其达到科学性与实用性并举的目的，但由于知识水平和实际工作经验所限，作者认为此系统还存在以下两个方面的缺陷。首先，由于区域环境所涉及到的因素很多，而此系统仅将一些能衡量住宅区域环境的重要指标作为评价对象，所以不可能全面反映住宅区域环境的情况。其次，由于目前尚无成熟的评价体系，所以本章所做的仅是一些尝试，尤其各指标所赋的分值可能不是很恰当，从而不能正确地反映各子项指标在整个体系中的权重，以上两点是此系统所存在的主要缺陷，也是以后继续完善此系统的两个工作重点。

四、住宅区域环境研究前景展望

人类居住健康问题的挑战引起了全世界居住者和舆论的关注，人们越来越迫切地追求拥有健康的人居环境。

今天的住宅建设要确保居住者广泛意义上的健康，包括生理的和心理的、社会的和人文的、近期的和长期的多层次的健康。

地球环境哺育了人类，环境与人类的健康息息相关。我们应尽力制止人类对赖以生存的居住环境的破坏。

现代科技的发展，一方面让我们享受了当代文明，同时又使我们容易忽视大自然赐于人类的阳光、空气和水。过分依赖于现代科技的生活方式，又容易削弱人与自然和谐共存的亲密关系。回归自然、亲和自然的健康生活方式已成为当今人类共同的心声。

与人居环境和居住生活行为有着或多或少、千丝万缕联系的各种疾病困扰着我们，严重地影响着人们的健康。我们有责任呼吁人们制止建造活动中的装修病、空调病、肥胖病、呼吸病等疾病频频发生。

城市，作为人类居住生活空间的功能已在很大程度上被削弱，已不再是人与自然和社会健康发展的乐园。居住条件恶化、环境污染、人际关系冷漠等"城市病"到处蔓延。改变现状，让城市功能朝着人居健康目标发展，是我们今天的历史责任。

健康住宅与人居健康工程围绕人们居住环境与人类健康的相关问题，综合地制定相应对策和解决方法，以实现人类居住与健康的可持续发展。

致力于健康住宅与人居健康工程的开发商、厂商、建筑师、工程师们，将以居住与健康的新价值观为目标，积极促进健康住宅建设事业的发展，共同建设健康、安全、舒适的环保型人居环境。

第十一章　地理位置评价体系

一、评价目的和意义

21 世纪是信息化的世纪，随着我国市场经济的发展，城市作为综合性、多功能有机体的作用日趋明显。而居住区作为城市空间的延续，更是城市的重要组成部分，其面积往往占据城市用地的 30%以上。

居住是人类的基本要求之一，在开发建造住宅小区所选地理位置上，是不能为了一味追求绿色而让其孤立于大自然，还应让其与交通、商业、教育卫生、文化娱乐、游憩、工作等联系在一起，要把居住区、住宅当成社会网络中一个有机的组成部分，这样才能求得生活质量和居住环境的全面提高。

改革开放以来，住宅的建设取得了巨大的成就。从总体上看，我们基本上告别了住房严重短缺时代，特别是实行新的城镇住房制度以后，住宅逐渐成为新的消费热点，城镇居民的住房需求已经由单纯的数量需求进入到数量和质量同时并重阶段，并逐渐呈现质量型的需求特征。城镇居民若想选购一套称心如意的住房，除了考虑要具备一定的经济承受能力外，还要考虑与购房相关的一系列问题。这些问题因购房者的生活习惯、爱好兴趣等因素不同而有所差异。

房屋主要是用于居住，购房者一次购房以后，应该要居住相当长的一段时间。所以，自身居室所处的位置以及与居室相关联的周边环境在较长的一段时间里将影响着居室主人的生活，建设居住小区应充分考虑地理位置的持久影响力。如果居室处在污染严重的厂区周边，或在噪音污染严重的主要干道或铁道旁，平时开启窗户就会污染居室，噪声也大。窗户关闭太久又不能保持室内空气流通，持续噪声污染也使人心烦意乱，长久易使人患神经衰弱，而此时再好的户型也解决不了问题，价位再低也无法补偿污染所带来的矛盾。这都充分说明了房屋所处地理位置的重要性。

另外，房子除了自住外，还可以出租或当做投资。但自住、出租、投资可以独立作为一种行为，又可以结合起来，这就意味着，房主可能因为有多余的钱再买别的住处，而把原来自住的房子出租出去；反之，本来出租的房子若租不出去，也可自用。同时，万一房主的经济出现问题，也可把房子卖掉或出租。房子无论是自住或出租都可作为资产，做生意时可向银行申请抵押，因此置业就是投资。那么，所买的物业能否保值、升值，就是确定此物业是否理想的决定性因素。然而，一个物业能否保值、升值，受选择物业时的那些不可变因素和可变因素影响。什么样的物业是好物业，仁者见仁，智者见智，但无论怎样都首先应考察物业所处的地理位置。

随着经济发展和城市建设规划的推进，居民住宅所处的地理位置和周边环境均有不同程度的改进，无论是对房地产商还是对购房者来讲，房屋坐落的地理位置是需要重点考虑的。地段的好与差直接决定了房屋的售价，层次、朝向和通风采光、质量等问题的高低，更是物业保值、升值的一大决定因素。

然而，在现时的楼市广告中，开发商也认准了地理位置这一卖点，都在售楼广告中加重了对楼盘所处地理位置的宣传。但开发商总是过分夸大其开发楼盘的优点，隐藏其缺点。其实，楼盘优劣不是靠包装出来的，并非所有住宅小区都能符合楼市广告所宣传的那样，优缺点往往是并存的，有些住宅小区位于工业区、旧城改造区内；有的则位于城乡结合部、卫星城镇内，小区外部环境差异较大；有的远离市区，绿化、空气虽然好，但交通不方便、生活配套设施不完备；有的位于城市中心，文化、商业设施齐备，但绿化差、噪音、废气严重；有些小区虽经综合规划，但建筑物密度大，通风、采光效果不好；还有的小区则管理混乱、安全系数小等。

而且，个人的职业、工作性质、家庭状况、生活习惯等因素，都可能影响其选择住房的地理位置优劣。购房者需根据个人需要和长期打算才能确定适宜的地理位置。然而面对眼花缭乱的地理位置宣传，如何选择综合条件好的地理位置，是有一定难度的。在目前房地产市场上，如何评价房屋所处地理位置的优劣，一直没有一个统一的标准。因此，研究开发一套房屋所处地理位置专家评价体系是非常必要的。

二、本评价体系的评价依据和方法

本评价体系采用定性评定的方法。在充分收集影响住宅地理位置优劣的所有因素的基础上，对这些因素进行归纳、分析，建立住宅地理位置的指标评价体系。

房屋坐落的地理位置实际上是一个综合考察要素，它主要包括交通条件和周边环境两个方面。

交通在住宅区中的作用极为重要，它在规划结构中是住宅区的空间形态骨架，是住宅区功能布局的基础；在居民的居住心理方面，它是住宅区家居归属的基本脉络，起着"家"与"非家"的连接作用。

通行功能是住宅区各类道路的基本功能。居民出行与区内交通方式的选择直接影响着住宅区各类各级道路的布局与连接形式，虽然受经济发展水平、生活习惯、自然条件、年龄和收入等因素的影响，不同地区、不同年龄和不同阶层的居民所选择的交通方式有不同的特征。

交通方式按采用的交通工具不同分机动车交通、非机动车交通和步行。居民在考虑选择交通方式时的基本要素是交通距离。影响交通距离与交通方式的相关关系的因素有体能、交通时间和交通费用 3 项。不同的人在其选择时对 3 项因素考虑的侧重点是不同的。对老年人、儿童和青少年来说，选择交通方式时体能是最主要的考虑因素；对低收入者来说，费用是其选择交通方式的主要因素；对高收入者来说，可能时间对他来说价值最高。但是，在绝大部分情况下，在比较短的距离内(一般为 500 ~ 1 000 m)，步行是大部分居民首选的交通方式，因为其方便、体力能够承受而且不发生任何费用。对距离较长的出行(一般在 7 km 以上)，应该采用机动车作为交通工具。在 1 ~ 7 km 的范围内，自行车交通将会是大部分拥有自行车的居民的主要交通方式，因为其方便、体力能够承受而且仅发生极小的、固定的非即时性费用。对那些尚未拥有自行车的居民以及老年人、儿童，他们的出行仍然将采用机动车作为交通工具。

而且，住宅区交通呈现明显的生活性特征，其交通内容主要是上下班、上下学、购物、服务等日常生活行为。从交通的类型上分析，主要包括居民上下班、上下学内容的通勤性交通，居民为购物、娱乐、消闲、交往等其他日常生活需要而发生的生活性交通，垃圾清运、居民搬家、货物运送、邮件投递等内容的服务性交通，以及消防、救护等的应急性交通。后两项交通均为机动车交通，其中服务性交通有必须性、定时性和定量性的特征，应急性交通则有必要性和偶遇性特征，对这两类交通应该在满足其基本通行要求的前提下，保证安全并最大限度地避免对居民日常生活的干扰。前两项交通均为居民自身发生的交通，一般情况下符合上面关于居民交通方式选择的分析，对这两类交通应最大限度地达到安全、便捷、便利和舒适的要求。

因此，对交通条件的考察，主要包括道路设施、公共交通和交通管制等方面。道路设施方面包括道路的种类、密度、等级以及道路宽、路面开口的多少等；公共交通包括公共汽车、电车、地铁等公共交通的路线数，以及与市内各主要区域联系的广泛程度，使用出租车的方便程度等；交通管制包括行车路线、方向、时间、速度限制、机动车辆各类限制、是否有停车场及有多少停车场等。

周边环境是另一个重要因素，随着物质文明建设与精神文明建设的同步推进，房屋的区位优势已不再是衡量好坏房子的唯一标准，其他相应的交通、自然、人文等因素也均成为周边环境所应包含的内容。特别是经历了"非典"之后，人们对住房提出了更高的要求，他们希望自己的住房能够对身体健康有更大的保障，能预防疾病。另外，空气清新、有早晚休闲运动的场所、社会风气和治安良好都是一个良好的周边环境所不可缺少的。一个好的居住小区的周边环境应该是：远离工业区，地区空气、水质无污染；交通便利；商业服务设施齐全；小区周边有大面积绿化带或河流、湖泊；文化娱乐设施完备；社会治安良好。小区的内部环境良好表现为：绿化良好；社区内无干扰、噪音；社区内的居住区、休闲活动区、公共事务区及商业区要相对隔离；小区内要有较浓的文化氛围；社区配套设施齐全等。

一般来说，对于老年人，应多选择环境幽静、空气清新的地段，另外就医看病是否方便也是他们选择地段时应重视的因素；青年人多选择上下班及社会交往方便的地段；有小孩上学的家庭多选择靠近学校的地段，以便于孩子就近上学。

评价方法：

通过将各项评级标准的分数进行加权，即若将 M 视为单项满分，则 A 级为 1M 分、B 级为 0.8M 分、C 级为 0.6M 分、D 级为 0 分，然后进行加权计算。计算出总分后再进行综合评价，总分在 90 分以上者评为 A 级，75 分以上者评为 B 级，60 分以上者评为 C 级，60 分以下者评为 D 级。

具体项目评价标准见表 11-1。

表 11-1　地理位置评价体系具体项目评价标准

评分项目	项目分值	单项指标	单项分值	评分标准				得分
				A	B	C	D	
1. 交通条件	50	1.1　道路的种类、密度、等级的满足程度	7	7	5.6	4.2	0	
		1.2　车道宽度、车道数、路面状况的合理程度	7	7	5.6	4.2	0	
		1.3　行车路线、方向、时间、速度限制及车辆种类限制情况	7	7	5.6	4.2	0	

评分项目	项目分值	单项指标	单项分值	评分标准				得分
				A	B	C	D	
1. 交通条件	50	1.4 道路两边的街道商业化程度	7	7	5.6	4.2		
		1.5 公共汽车、电车、地铁等公共交通的路线数以及与市内各主要区域联系的广泛程度	8	8	6.4	4.8	0	
		1.6 是否有停车场及有多少停车场	7	7	5.6	4.2	0	
		1.7 使用出租车的方便程度	7	7	5.6	4.2	0	
2. 周边环境	50	2.1 综合性及专业性购物中心、百货商场的方便程度	6	6	4.8	3.6	0	
		2.2 副食商场、菜市场的远近程度	6	6	4.8	3.6	0	
		2.3 银行储蓄、邮局的远近程度	4	4	3.2	2.4		
		2.4 服装加工、家电维修等小型修理服务门店的远近程度	3	3	2.4	1.8	0	
		2.5 学校、图书馆、书店的规模大小	3	3	2.4	1.8	0	
		2.6 剧场、电影院、体育场馆的规模化程度	4	4	3.2	2.4	0	
		2.7 医院、保健站等的服务及管理水平、对外声誉和知名度情况	4	4	3.2	2.4	0	
		2.8 水、供热、供电、供气的状况	4	4	3.2	2.4	0	
		2.9 通信的方便程度	4	4	3.2	2.4	0	
		2.10 空气清新程度	4	4	3.2	2.4	0	
		2.11 是否有早晚休闲运动的场所	4	4	3.2	2.4	0	
		2.12 附近治安良好程度	4	4	3.2	2.4	0	

第十二章 建筑装饰评价体系

一、评价目的和意义

俗语有"人要衣装，佛要金装"的说法，对房屋来讲，情况也是这样，一幢刚建成而还没有开始做装修的房屋，从屋外看很不像样：墙面上溅着许多泥巴；门窗洞像张着的大嘴；进入屋内一片灰黑；满地碎砖、石子、木块等，使人感到不舒服，故未经装饰的房屋是不能居住和使用的。只有在里里外外、凡是眼睛看得到的地方，用各种合适的建筑装饰材料细致地加以装修，达到了实用、舒适和美观的要求之后，才适合人们居住和使用。

我国是讲求建筑装饰的国家，在世界上具有独特的风格。如北京故宫、曲阜孔庙、拉萨布达拉宫等，至今雄伟壮观，金碧辉煌。随着生产技术的不断发展，装饰材料的品种越来越多，装饰工艺水平也有了很大的提高，加上先进装饰施工机具的广泛使用等，都极大地推动了建筑装饰业的发展，使其成为国民经济的重要产业。

建筑装饰工程，无论是建筑外形的装饰，还是内部的装饰，均可给人以直观感受。从使用功能上讲，内部空间装饰最重要，它能提供各种不同的用途。装饰这些空间，既应显示个性，又应表现共性，并应协调好住房内部和整体的关系。但是，只有良好内部环境，而没有外部优良环境的配合，不是一个完整的协调环境。一座建筑就像是一个良好的艺术品一样，不应给人以杂乱堆砌、不伦不类的感受。其实，建筑装饰本身是艺术与技术的结合，不但需要处理好实体空间和虚体空间的关系，而且应协调好内部和外部艺术环境。对于装饰的各个部位，不仅应该显示出重点，而且还要符合比例，屋顶类型、门窗式样、使用的装饰材料以及色彩搭配，都是组成整座建筑艺术品不能缺少的内容。

建筑装饰业的蓬勃发展，标志着社会的进步和人民精神面貌的变化，它对于繁荣市场、搞活经济，特别是促进旅游业的发展，发挥了重要作用。建造房屋的目的就是为使用，各种类型建筑的性质不同，使用目的不同，建筑装饰也就不相同。新建房屋注重造型设计，改变了历史传统建筑的呆板形式，在风格上力求创新和新颖，追求实用、美观、大方，不但符合时代发展，还能与世界著名建筑接轨、媲美。

从全方位观察，当前大规模成片建筑，每一个小区、每一座建筑，甚至每一个房间，都与历史有着强烈的反差。装饰内容既显示了个性，又与整体协调，并具有时代感和艺术魅力，与改革开放前形成了鲜明的对照(改革开放前只强调经济、实用与可能条件下的美观)。在强调使用功能、舒适、美观、艺术享受的同时，还考虑到环境配套、协调，符合时代发展，使建筑装饰全方位发生了重大变化。

建筑外装饰作用有很多。首先，它可以保护结构体，延长使用年限。任何建筑物的损毁主要有两个方面的原因，一是由于自然条件的作用，例如水泥制品会由于大气的作用而变得疏松，钢铁制品会因氧化而被锈蚀，竹木等有机材料会因微生物的侵蚀而腐朽。

二是人为的影响，例如在使用过程中由于碰撞、磨损以及因为水、火、酸、碱的作用而造成破坏。建筑装饰工程即是依靠相应的现代装饰材料及科学合理的施工技术，对于建筑结构体进行有效的构造与包覆施工，以达到避免使之直接经受风吹雨打、湿气侵袭、有害介质的腐蚀，以及机械作用的伤害等保护建筑结构体的目的，从而保证建筑结构体的完好并延长其使用寿命。

建筑外装饰还可以美化建筑，增强艺术效果。建筑装饰工程施工是构成建筑艺术特质和环境美的重要手段与主要内容，它时时刻刻都处于人们能够直接感受到的空间范围之内，无时无刻不在影响着人们的视觉、触觉、意识和情感，与人们的精神生活越来越休戚相关。由于它的构成内涵日益广泛，它的空间容量日趋博大。它不但拥有空间序列、比例、尺度、色彩、质地、线型和样式等丰富的建筑艺术语言，它还能融合绘画、雕塑、工艺美术、园艺、音响等其他艺术及现代科技成果。所以，建筑装饰工程具有综合艺术的特点，其艺术效果和所形成的氛围强烈而深切地影响着人们的审美情操，甚至影响人们的意志和行动。成功的装饰设计方案、优质而先进的装饰材料和规范而精细的装饰施工，可以使建筑获得理想的艺术价值而富有永恒的魅力。装饰造型的优美、色彩的华丽或典雅、材料或饰面的独特质感和纹理、装饰线脚与花饰图案的巧妙处理，以及细部构件的体形、尺度与比例的妥当把握等，都能够影响建筑的内外形象并反映建筑的质量。此外，建筑环境的认识功能，也主要依靠装饰工程得以实现，比如不同的购物商店、办公场所、幼儿园、影剧院等各类建筑的外貌特征和专业区别，就需要通过装饰工程施工来体现其鲜明的特色。

而且，建筑外装饰还能协调建筑结构与设备之间的关系。现代建筑为满足使用功能的要求，需要大量的构配件和各种设备进行纵横布置及安装组合，致使建筑空间形成管线穿插、设备和设施交错、各局部各工种之间关系错综复杂的客观状况。这种现象的最有效的理顺方法就是依赖建筑装饰施工，通过装饰工程可以根据功能要求及审美理想的结合处理而较好地协调各方面的矛盾，使之布局合理、穿叉有序、隐显有致、方便使用并形式和谐。例如，通过吊顶处理即能综合解决空调送风、照明设施、消防自动喷淋、音响及烟感报警等必须由建筑室内上部空间予以解决的装设和管线穿插的问题。其他如架空与活动地板、护墙板、装饰包柱、暖气柜、女儿墙压顶板、伸缩缝成型板等装饰处理措施和设置，既满足建筑的结构和设备的要求，将一些不宜明露的作隐蔽处理，又同时满足使用及环境美化的要求。

随着我国现代居住区规划结构和组织形式的演变，建筑外装饰不但强化了建筑及建筑空间的性格，使不同类型的建筑各具性格特征，还强化了建筑及建筑空间的意境和气氛，使建筑及建筑空间更具情感和艺术感染力，弥补结构空间的缺陷与不足，并增强了建筑的空间序列效果、物理性能和设备的使用，提高了建筑的综合使用效果。另外，建筑外装饰同时还兼有其他几项良好的作用：协调内外环境、满足享受需求、陶冶人的情操等。

由于我国现代化建筑装饰起步较晚，从事装饰行业人员的素质急需提高，建筑装饰理论与实用技术尚不够系统和完善，故至今还没有一套评价建筑装饰的完整体系。而且，在目前商品房销售市场上，销售的商品住宅除少部分精装修房外，大部分仍然是毛坯房。

面对这种状况,如何对毛坯房的外装修进行综合评价,已是一个迫在眉睫的问题。因此,为适应新形势下我国建筑装饰业发展,研究开发一套建筑外装饰的评价体系是十分必要的。

二、国内外现状

建筑装饰是建筑工程技术和文化艺术相结合的综合型学科,是建筑设计的延伸和深化,它不仅涉及建筑学、人体工程学、社会学、心理学、材料学、物理学、力学等学科,也与工艺美术、园林绿化、城市建设等领域有着紧密的联系。建筑装饰肩负着物质文明与精神文明的双重任务,它标志着一个国家、一个民族、一个地区在某一历史时期政治、经济、科学技术、文化艺术的发展水平。

在古代,由于受科学技术发展水平和物质资料缺乏等因素的影响,建筑装饰仅出现在皇家庭院、宗教圣地等范围内,因而建筑装饰的形式变化和普及范围都极为有限。在现代,改革开放以前,由于受生产力水平制约和忙于国家全面建设,房屋建筑只能做到经济、实用,在可能的条件下才能注意美观。

一直到1978年以后,形势发生了重大变化。许多世界一流建筑都雨后春笋般在我们身边拔地而起,不但造型新颖、别致和优美,而且功能齐全、舒适。它们改变了以往的传统模式,形成了具有特色的建筑造型和装饰工程,并带动了建筑行业的巨大发展和装饰专业的兴起。展望装饰专业的发展,前景会更加美好,装饰工程也会更具有魅力。

三、建筑装饰的评价

建筑外装饰包括建筑外立面装饰和建筑外部环境装饰。建筑外立面装饰的主体部位是外墙面,上面有门、窗、外廊、雨篷、阳台、遮阳板、墙面分格装饰线、外窗台、窗套、檐口、有组织外排水装置及屋顶,此外还有外楼梯、台阶、平台、露台、散水等。建筑外部环境装饰主要包括绿化、儿童游乐设施、水景设计、体育设施、环境小品和标志等。

(一)建筑外立面装饰

对建筑装饰外立面的评价,从美化建筑物这一主要作用出发,决定于它的一系列外观(面貌)性质,包括颜色、光泽、花纹、图案、形状、尺寸大小等。这些外观性质的评定涉及到美学和审美观点;结论大多出自主观臆断,各人见解不尽相同。其中只有颜色和光泽已可利用科学的仪器来测定。

从室外来讲,一个建筑物的外观效果除立面造型、比例、尺度等建筑设计手法与风格所起的作用之外,饰面处理是极为重要的因素,饰面的装饰效果主要取决于色调、质感及线型3个方面。

建筑立面的色调是人们生活环境中的一个组成部分,选用的色彩应为多数人所喜爱和接受。一般原则为色调要协调,对比也不宜过于强烈。

建筑立面的质感是指饰面完成后,给人以粗犷、凹凸不平、毛糙或平滑等各种视觉上的感受。质感主要取决于所用饰面材料的表面加工和做法。同一种材料,由于做法不同,可取得不同的质感效果。建筑设计往往给立面的不同部位选用不同的饰面做法,以求得质感上的对比与衬托，体现立面的风格或强调某些立面处理的意图。质感的丰富或贫乏、粗犷或细腻只有通过比较才能体现。立面质感既不应变化多端，也不应贫乏单调，要搭配适当，恰到好处。

建筑立面的线型是由一定的分格缝、凹凸线条、门窗楣、窗套、预制壁板四周镜边等所构成的。饰面的这种线型在某种程度上也可看做是整体质感的一个组成部分，其装饰作用是不容忽视的，应在工艺合理的条件下充分加以利用。许多新型墙体材料及工厂预制饰面，如在生产过程中采用适当措施就可带出一定的线型与质感，取得一般现场制做的饰面所不易达到的装饰效果。

大门是建筑中人流的出入口。它是建筑中与人关系最为密切的部位，是室内外空间的转换点，同时也是整个建筑构图的重点部位。入口的位置和数目，通常在建筑设计过程中已经确定，在装饰设计中一般不作调整，因为它涉及到外部人、车流组织以及建筑自身的使用关系等问题。入口的装饰设计应通过建筑装饰手段加强，突出入口的形象，这样才能使整个构图更加生动。当然，对入口的装饰应注意装饰对象的使用性质和规模，应使入口的形式与内部使用相统一。

而且，大门建筑是建筑群体内外的分隔部件，是建筑群的门面，也是空间序列的起始。当人们走进某建筑时，第一印象就是大门，这个印象在相当程度上影响对整个建筑群的感受，有时也成为人们记忆的标志。正确认识大门建筑的性质与特点是解决设计问题的关键。首先。大门不是独立存在的建筑，它附属于某一建筑群，是其中的一个单体，随着建筑形象的变化，大门的形式也应不同；大门又是城市的建筑小品，应与城市环境协调。其次，大门应与其他建筑一样，必须保证功能与形式的统一，不能把它看成单纯形式的建筑。建筑师应研究其使用要求，使功能与形式统一。在实际中有的大门建筑往往是后建的，与建筑群不同时设计、建造，因此要克服结构形式、建筑风格的不同，力求协调统一。

大门建筑设计还应包括车辆、人流集散和停车场地，这些场地均属建筑单位的大门建筑用地，不应占用城市公共用地。应遵守城市规划部门的红线退入要求，使人与车辆的出入有一定的缓冲场地，以保证城市的交通安全。自行车的停放也是大门建筑设计应关注的问题，为了使大门外观整洁和美观，自行车棚可设置在围墙的内侧，有条件的可留出绿地种植树木，以丰富大门的空间环境。

墙、柱面是建筑外部的表面层，它具有保护墙体和装饰立面的功效。外墙面装饰首先应满足其防雨、耐暴晒、耐腐蚀和耐久等方面的性能要求，并在此基础上考虑其装饰性的效果，使两者构成有机的统一体。墙、柱面装饰既可以参与整体立面构图，也可以通过局部的变化以强调重点。这种局部强调多用于建筑的底层和二层，因为它与人的关系较近，人们能直接地感到这种变化所产生的效果。在墙、柱面装饰设计中，应处理好材质、色彩、分格线三者的效果和相互关系。

建筑的入口雨篷对外墙、大雨篷、柱廊、屋面来说也是不可缺少的一部分，它是内外空间的界面，是从室外空间转为室内空间的过渡地带，并具有标识性的诱导作用，同时也代表着建筑物本身的规模、空间文化的理性精神。因此，主入口雨篷的设计与施工尤为重要。当代建筑对檐口的装修要求越来越高，其形式也越来越多样，但必须使其具有结构牢固、造型厚重有力、坚固耐久、不受风雨影响等功能。

在居住建筑中，阳台充当着重要的角色，成为居住建筑不可缺少的一个组成部分。阳台为人们提供生活、休息、观景等便利，特别是楼层阳台，又是人们呼吸新鲜空气和与大自然对话的场所。阳台在设计上与主体建筑的关系有 3 种不同的组合形式，一种为凹阳台，另一种为凸阳台，还有一种为半凹半凸阳台。阳台的造型复杂多变，有镂空的、实体的、古典的等。外挑式凸阳台在外观上有矩形、梯形、半椭圆形、半圆形等形式，一般矩形阳台的可利用面积最大，梯形、半椭圆形、半圆形阳台外观较活泼秀气。

阳台设计首先是满足实际使用功能，在平面尺寸、位置等方面具有较为特定的要求，必须在满足使用功能的前提下考虑装饰功能。一般挑阳台采用混凝土栏板及扶手杆在阳台外围设置垂直构件，其作用一是承担人们扶倚的侧向推力以保证人身安全；二是对整个建筑物起一定装饰作用，因此既要考虑坚固，又要考虑美观。在考虑装饰功能时，必须处理好与建筑主体的呼应关系，诸如比例关系、造型关系、质感关系等，这样才能使建筑形成完美的构图，既为居住者提供完备的使用条件，又满足居住者的心理要求与环境需要。

(二)建筑外部环境装饰

1. 绿化

随着经济的发展，能源与环境的污染问题已严重威胁着人类的生存。因此，保护生态环境，实现可持续发展已成为当今国际社会普遍关注的重大问题。根据当今世界哲学发展的主潮流以生态为中心的世界观，以及中国"天人合一"的哲理，认为中国 21 世纪可持续发展的建筑，也就是所谓"生态建筑"或称"绿色建筑"。因此，建筑外环境的科学和艺术在住宅小区的环境设计中起到了不可估量的作用。

在建筑外部环境装饰中，绿化是最不可缺少的。绿色植物为建筑创造了有益的生态环境，制造氧气、净化空气，被称为"生物过滤器"。它可以吸收有害气体、吸滞烟尘和粉尘。绿色植物散发出来的物质有杀菌作用，对人的身心健康十分有益，甚至可以开发人的智力。绿色植物还可调节空气温度和湿度。因此，绿色植物又被人们称为"有生命的建筑材料"。

绿化主要分为以下几类：树木、绿地、花坛。

1)树木

首先在对栽植绿化的周围地区情况，以及保护生活隐私性、落叶处理、景观美化等问题进行了充分设想后，将整个栽植用地划分成后庭院、前庭、服务区等部分，结合树木特性、树形、生长发育、树木尺寸，并依据设计灵感配置树木。

如采用自然风景式栽植，树木的配置无论在平面上，还是空间上，都应采取不等三角形构图，避免直线配置。

2)绿地

对居住区绿地系统的布局，最经常的提法就是点、线、面相结合，但对点、线、面怎样结合却缺少进一步分析。通常是只要有了组团绿地、庭院绿地等小块绿地，就当做"绿点"；只要道路两侧种行道树，就认为有了"绿线"；只要有了小区游院或居住区公园，就当做"绿面"，就认为点、线、面结合了起来。实际上，这些绿化形式都是《城市居住区规划设计规范》(GB50180—93)所规定的，因此把"点、线、面"相结合理解成仅满足规范要求和便于管理需要的必需结果是不够的。研究居住区绿地的布局，主要应分析的是点、线、面以怎样的形式构成一个系统，即分析这个系统的整体性与连续性的问题。

3)花坛

花坛的外形应和周围的环境协调，一般花坛采用规整对称式的几何形状，在环境中有独立作用，应合理地组织它们之间的关系；也有不规则的，采用随地形自由布置，比较灵活。

花坛或花坛群和广场相比，一般在 1:3~1:15 之间，草皮花坛可以大些。花坛群可以作为主体景观位于广场的中心，作为陪衬时，应有规则地分布在两侧。

个体花坛不宜太大，太大应在空间内进行划分，形成主景区和次景区。

花坛以平面欣赏为主，植床不宜太高，为使主体突出，一般花卉植床应高于地面 7~10 cm，周围辅以缘石，也可用绿篱。有的为下沉式花池，为更好地进行观赏，侧壁可以用缘石砌筑。

小型花坛以欣赏花卉为主，应选用花叶繁盛、花期一致并且较长、花卉密集的植物。

2. 儿童游乐设施

1)游乐场、游乐设施

游乐场的环境应当汽车噪声小、空气污染小、清洁卫生，能避开寒冷的北风，阳光充足、明亮。同时，游乐场应与主要交通通道保持一定距离，具有安全感，即使是成人也可享用。另外，从安全防范的角度出发，游乐场的环境还应具有一定的开阔性，以方便陪伴儿童的成人在周围进行目光监护。3 岁以下的幼儿，需要家长的保护，常使用砂坑、滑梯、秋千等游乐设施。4 岁以上的儿童已经可以利用各种游戏设施与同伴携手游戏。学龄儿童、少年多喜爱棒球、橄榄球、足球等球类运动。而且，对 3 岁以下幼儿的游乐场至少应设有供幼儿玩耍的砂坑和供保护人休息用的坐椅。其次可配备滑梯、秋千等可动玩具。同时，在看护目光可及之外还可设置藤架、花架等，既可将年长孩子隔离开，又可为幼儿及家长遮荫蔽日。

在以学龄前儿童为主要对象的儿童公园中，除安装各种场地所需的游乐器械外，还常设置一些将攀登架与滑梯等组合起来的组合式器械。面积较大的儿童公园还可添置供孩子们玩球的广场，以及夏可游水、冬可滑冰或溜冰橇的涉水池、溪流等嬉水设施。

除上述游戏器械、长椅、花架、栽植外，公园内还需设置栅栏、车挡、饮泉、路灯等设施，以及各种标志、标识。在选择器械的过程中要注意以下几点：

(1)首先应看所挑选的游戏器械是否真正安全，同时要兼顾无设施空地的安全防护。

(2)所挑选的场地及游戏器械都应能够激发儿童自发地进行创造性游戏。所选游戏器械既具备安全性，又兼顾舒适性与美观。其色彩也应与周围环境相协调。

(3)进行游乐场选址和布置器械时，既要注意满足日照、通风、安全的要求，同时也应注意尽量减少儿童嬉戏时产生的嘈杂声对周围环境的影响。

(4)器械设施的布局应考虑儿童的运动轨迹和运动特点，设法使他们能够在有限的范围内获得最大的活动空间。

(5)游戏区内的地面应采用砂地、土地或橡胶地板块，避免幼儿自器械上坠落跌伤。此外还要注意场地排水。

(6)考虑残疾人的需求，为看护的父母们设置坐椅。

(7)选择便于维护、修缮及管理的器械、设施。

2)砂坑

对幼儿和儿童而言，砂坑既是一个与大地亲密接触的场所，也是一个有助于提高创造意识、体验群体活动的场所，它是儿童游乐场中必不可少的设施，其评价方法应根据设计要点来做具体评价。

砂坑设计要点主要有：

(1)规模较小的公园通常设置一个可同时容纳 4~5 个孩子玩耍，面积约 8 m² 左右的砂坑即可。

(2)若在砂坑中安置玩具，则既要考虑儿童的运动轨迹，又要确保砂坑中有基本的活动空间。

(3)砂坑中应配置经过冲洗的精制细砂。标准的坑深为 40~45 cm。

(4)可在砂坑四周竖砌 10~15 cm 的路缘，以防止砂土流失，或地面雨水灌入。路缘石一般以混凝土或人造水磨石制成。如为提高安全性，可选用木制路缘石或橡胶路缘石。

(5)砂坑内应敷设暗沟排水，避免坑内积水。

(6)由于砂坑极易成为猫、狗等家畜的排泄场所，所以应当把砂坑设置在有日照的地方，使之可经常得到紫外线消毒。

(7)游乐场中应设置庇荫条件，如花架、绿荫树(高大的阔叶落叶树)，以便于夏季庇荫消暑。

3)滑梯

滑梯是一种结合了攀登、下滑两种运动方式的游戏器械，在游乐场所有设施器械中利用率最高，它可以促进幼儿及儿童的全身心发育，是仅次于砂坑的游乐场中不可或缺的设施。滑梯的设计要点主要有：

(1)普通滑梯滑板的标准倾角为 30°~35°。

(2)滑板宽度为 40 cm 左右，两侧立缘为 18 cm 左右，便于双脚制动，不要设凸起物。

(3)滑板末端承接板的高度以儿童双脚能够完全着地为宜，约 20 cm。

(4)滑板材料一般选用不锈钢、人造水磨石、玻璃纤维、增强塑料、辊管等，并应保持平滑。

(5)若选用不锈钢材料，夏季会因太阳的炙烤而发烫，因此设置滑梯时应注意地点与朝向。同时，因使用滑梯时极易产生噪声，最好以灰浆固定滑梯，或更换滑板材料，以免产生共振。

(6)攀登梯架的倾角一般为 70°左右，宽度约 40 cm，踢板高 20 cm，踢板宽 60 cm，双侧设扶手栏杆。

(7)休息平台四周设置 110 cm 左右高的坚固防护栏杆，以防儿童坠落。

(8)目前市场上售有各种规格、型号、造型的滑梯成品，如从安全与维修考虑，以选择成品较为适宜。

4)秋千

秋千与砂坑、滑梯被并称为儿童游乐设施中的"三件宝"，利用率也很高。一般，秋千可分为两大类：有幼儿园的板凳式和坐椅式的安全型秋千，还有大龄儿童使用的普通型秋千。若以制造材料区分，除铁制秋千外，还有木制秋千和轮胎秋千。市场上也有各种形式的秋千成品销售。

秋千设计要点主要有：

(1)设置秋千时，应考虑秋千(踏板)的摇摆幅度、飞荡幅度、运动轨迹等因素，在空间上注意与其他设施的合理关系，充分注意安全。

(2)通常在铁制秋千周围应设置高60 cm左右的安全护栏，并保留充足的空间。

(3)一般铁制秋千架的设计尺寸如下：2座式，宽2.6 m左右、长3.5 m左右、高2.5 m，安全护栏宽6.0 m、长5.5 m、高60 cm；4座式，宽2.6 m左右、长6.7 m左右、高2.5 m，安全护栏宽6.0 m、长7.7 m、高60 cm。

(4)踏板距地面35~45 cm。

(5)设计幼儿园安全型秋千，应注意避免幼儿钻入踏板下。一般安全的踏板下高度为25 cm。

(6)秋千的吊链、接头等配件，应选用断裂强度高的可锻性铸铁产品。

(7)秋千下及其周围地面应采用土、砂等柔性铺装，防止儿童跌伤。

(8)由于秋千下地面呈凹势，易积水，需设置雨水管排水或铺设橡胶网垫等辅件防积水，确保孩子们能够在雨后马上使用秋千。

5)铁棒、攀登架、跷跷板、游戏墙

a.铁棒设计要点

(1)一般低铁棒的标准高度为60~130 cm。如为2组式铁棒，设置高度分别为80 cm、90 cm；3组式低铁棒，设置高度分别为90 cm、100 cm、120 cm，占地宽为180 cm。3组式中高铁棒，设置高度分别为150 cm、165 cm、180 cm。

(2)握杆一般为直径28 mm的抛光镀锌管，立柱先用50A的煤气管。

(3)尽可能在铁棒下设置砂坑或做其他柔性铺装，以防止儿童在铁棒下发生意外。

b.攀登架类的设计要点

(1)方形攀登架的标准尺寸：格架宽为50 cm，攀登架整体宽、长、高相同，均为2.5 m。

(2)架杆选用外径为27.2 cm，20 A的煤气管。

(3)从安全考虑，架下应设置砂坑或做其他柔性铺装。

c.跷跷板设计要点

(1)普通双连式跷跷板的标准尺寸为宽28 cm、长3.64 m、中心轴高45 cm。

(2)跷跷板下应放置废旧轮胎等设备作缓冲垫。

(3)跷跷板周围较为危险，应设置砂坑或做柔性铺装。

d.游戏墙的设计要点

(1)从总体安全考虑，墙体的标准高在1.2 m以下。

(2)不同用途的墙体厚度各有不同，如为跨越用，厚度为15 cm；如为骑乘用，厚度应为20~35 cm。

(3)墙上的孔洞的大小选择要适中，否则对孩子无法产生吸引力。普通窥望孔的直径在 20 cm 以下。狭小的穿越方洞，边长约 40 cm 以上，宽大的穿越方洞边长为 60 cm 以上。

(4)为了儿童安全、避免受伤，墙体顶部应作削角，墙下或设置砂坑，或做柔性铺装。

(5)如果需要在墙体上绘制动物图案，应采用粘贴模板、上色绘制的方法，这样即使图案掉色也不会影响墙体。

6)其他

除上述器械设施外，可供游乐场使用的设施还有多种，如模拟各种动物形态的弹跳器，可进行多种组合、搭配的组合式玩具，大型丝网玩具，竞技游戏设施等。布置游乐场设施要充分考虑各种游戏项目的运动轨迹、各项目设施的相互位置关系，以确保儿童安全。此外，木制玩具设施应由具有一定耐久性木材或加压注入无害防腐材料木材制成。

3. 水景

自然界的水千姿百态，它的风韵、气势及流动的声音能给人以美的享受，引起人们的无穷遐想，这也是人们据以进行建筑艺术创造的源泉。把水从自然界引入到生活中，利用水体和自然水景来进行艺术创作，以美化人们的生活环境，这是建筑师创造建筑空间环境的手段之一。

水是大自然最壮观、最活泼的因素。自古以来，城镇建筑依水系而发展，商贸随水系而繁荣。随着人类文明的发展，水也从单纯的物质状态逐步发展成为兼具艺术功能的水景，出现了各种各样的水景创作，从而成为建筑空间与环境创作的一个组成部分。我国是历史悠久的文明古国，无论是皇家园林，还是民间建筑，都具有独特的民族风格和浓郁的乡土气息，包含着诗情画意，体现着传统的理水技法，表现了东方文化的特色，对亚洲、欧洲的园林水景有着很大的影响。

水在建筑空间中的艺术形态，是创作的一个要素，可以构成优美的建筑环境，衬托出宜人的空间气氛。水在建造环境构成中有 3 种基本形态，即面的形态、线的形态和点的形态。在构成建筑环境的设计构思中，可以是一种形态或几种形态的综合布局，应充分利用水的流动、聚散、渗透和蒸发的特性，使水景建筑空间得到多种感觉空间的变化。

各种动态水的分类主要有跌落的瀑布、流淌的溪流、停留的水池以及喷射的喷水。设计水景的同时，为加强人与水的联系即亲水性和安全性、美化景观，水滨、水岸的设计与水景设计同样重要，尤其是作为岸线的水滨设计。在园林设计中，护岸和洲岛等的设计都已成为景观设计的要素。

水景设计中的设备配备要点主要有：

(1)首先确定水的用途，例如观赏、戏水、养鱼等。如以戏水为目的，则应充分注意安全，降低水深；如为养鱼，则需保证水质，安装过滤装置。

(2)确定是否需要循环装置。地下水等，可根据情况自由排放，不必循环。

(3)确认是否必须安装过滤装置。一般而言，水中出现藻类会污染水环境，因此尽可能安装过滤装置。

(4)确保设置有关设备必需的场所和空间，提供充足的电力。例如安装循环设备、过滤装置、水泵和水下泵井、配电盘的场所以及操作空间。

(5)确认水中是否需要照明。

(6)搞好建筑设备管线与瀑布、水池等水景设施的给排水管线的联结，以及排水的协调。需要相应的配件，如浮球塞、电磁阀、溢水管，以及补充水量的水管，来确保水景设施的一定水位。设计时应注意这些配件的安装位置及隐蔽性。同时，应分设进水口与出水口，避免水流淤塞，确保水流循环顺畅。

(7)防渗水措施。在做水底与水滨的土木工程时，应敷设防水层以防渗水。

1)瀑布

园林中瀑布，按其跌落形式被赋予各种名称，如丝带式瀑布、幕布式瀑布、阶梯式瀑布、滑落式瀑布等，并模仿自然景观，设置各种主景石，如镜石、分流石、破滚石、承瀑石等。

通常情况下，由于人们对瀑布的喜好形式不同，瀑布自身的展现形式也不同，加之表达的题材及水量不同，造就出多姿多彩的瀑布。跌水则指在欧式园林中常见的呈阶梯式跌落的瀑布。

同一条瀑布，如其瀑身水量不同，就会演绎出从宁静到宏伟的不同气势。尽管循环设备与过滤装置的容量决定整个瀑布的循环规模，但就景观设计而言，瀑布落水口的水流量(自落水口跌落的瀑身厚度)才是设计的关键。以普通瀑高 3 m 的瀑布为例，可按如下标准设计：

(1)沿墙面滑落的瀑布：厚 3 ~ 5 mm。

(2)普通瀑布：厚 10 mm 左右。

(3)气势宏大的瀑布：厚 20 mm 以上。

一般瀑布的落差越大，所需水量越多；反之，则需水量越小。

承瀑布潭内的水量、循环速度则由水泵调节，因此为便于调节水量，应选用容量较大的水泵。一般，水流沿垂直墙面滑落时，会因力学关系做抛物线运动。因此，对高差大、水量多的瀑布，若设计其沿垂直墙面滑落，应考虑抛物线因素，适当加大承瀑布潭的进深。对高差小、落水口较宽的瀑布，如果减少水量，瀑流常会呈幕帘状滑落，并在瀑身与墙体间形成低压区，致使部分瀑流向中心集中，"哗哗"作响，还可能割裂瀑身，此时需采取预防措施(如：加大水量或对设置落水口的山石作拉道处理，凿出细沟，使瀑布呈缝带状滑落)。通常情况下，为确保瀑流能够沿墙体平稳滑落，常对落水口处山石作卷边处理。也可根据实际情况，对墙面作直面处理。

瀑布的设计要点主要是：

(1)如采用平整饰面的白色花岗岩作墙体，因墙体平滑没有凹凸，使游人不易察觉瀑身的流动，影响观赏效果。

(2)利用料石或花砖铺砌墙体时，应采用密封勾缝，以免墙体"起霜"。

(3)如在水中设置照明设备，应考虑设备本身的体积，将基本水深定在 30 cm 左右。

(4)在高差小的瀑布落水口处设置连通管、多孔管等配管时，较为醒目，设计时可考虑添加装饰顶盖。

2)溪流

水景设计中的溪流形式多种多样，如园林中具有代表性的自然式溪流，法国等欧式园林中用以连接为远眺、对景而设的壁泉、水池等，具有一定装点作用的沟渠等。其形态可根据水量、流速、水深、水宽、建材以及沟渠等自身的形式而进行不同的创作设计。

园林的溪流中，为尽量展示溪流、小河流的自然风格，常设置各种主景石，如隔水石(铺设在水下，以提高水位线)、切水石或破浪石(设置在溪流中，使水产生分流的石头)、河床石(设在水面下，用于观赏的石头)、垫脚石(支撑大石头的石头)、横卧石(压缩溪流宽度，因此形成隘口、海峡的石头)等。在天然形成的溪流中设置主景石，可更加突出其自然魅力。

园林中溪流的坡势依流势而设计，急流处为 3% 左右，缓流处为 0.5% ~ 1%。普通的溪流，其坡势多为 0.5% 左右，溪流宽度 1 ~ 2 m，水深 5 ~ 10 cm。而大型溪流，长约 1 km，宽 2 ~ 4 m，水深 30 ~ 50 cm，河床坡度却为 0.05%，相当平缓，其平均流量为 0.5 m^3/s，流速为 20 cm/s。

一般溪流的坡势应根据建设用地的地势及排水条件等决定。溪流设计要点主要是：

(1)明确溪流的功能，如观赏、嬉水、养殖昆虫植物等。依照功能进行溪流水底、防护堤细部、水量、水质、流速的设计调整。

(2)对游人可能涉入的溪流，其水深应设计在 30 cm 以下，以防儿童溺水。同时，水底应作防滑处理。另外，对不仅用于儿童嬉水还可游泳的溪流，应安装过滤装置(一般可将瀑布、溪流、水池的循环、过滤装置集中设置)。

(3)为使庭院更显开阔，可适当加大自然式溪流的宽度，增加曲折，甚至可以采取夸张设计。

(4)对溪底，可选用大卵石、砾石、水洗砾石、瓷砖、石料等辅砌处理，以美化景观。大卵石、砾石溪底尽管不便清扫，但如适当加入砂石、种植苔藻，会更展现其自然风格，也可减少清扫次数。

(5)栽种石菖蒲、玉蝉花等水生植物处的水势会有所减弱，应设置尖桩压实植土。

(6)水底与防护堤都应设防水层，防止溪流渗漏。

3)水池

水池有多种，从园林中富有代表性的自然式池塘，到各种广场常用的用于倒映建筑物的几何形水池、观赏用水池，以及高尔夫球场中所见的美化景观用水池、养鱼池、儿童游乐场中的涉水池等。

在为小区设计水池时，应注意掌握好主景石、水面、地面三者间的衔接、联系。观赏、饲养鲤鱼等的水池的设计，则应注意根据所饲养的品种、数量等决定水池的宽度与深度，达成平衡，并要在池边作安全处理，防止猫等小动物的侵扰。设计涉水池应考虑安全问题，水深要降至 10 ~ 30 cm，池底作防滑处理。娱乐休闲用游泳池的水深一般为 0.5 ~ 1.5 m，同时，为了安全，将水深差保持在 20 cm 以内，池底坡势相当于一般排水坡度。

水区中的池塘，为了在长、宽上展示出宽阔，通常被设计成心形或云形，尽量使岸线曲折多变化。同时，在水流舒缓的凹地设置洲岛；水流急促的地方安置主石、配石，在感觉上缩短与岸边的距离。或做草皮防护堤、尖桩防护堤，增添变化。

与瀑布、溪流一样，水池中除中心岛、小群岛、大块平石等主景石外，还有其他一些构成园林池塘的构图因素，如洲岛、石桥、汀步、踏步石等。

养鱼池的水深视所养鱼种而异，饲养金鱼者 30 cm 左右，饲养鲤鱼者 30～60 cm，如用于冬眠或过冬，水深应达 1 m 左右。水池的规模则依所饲养的鱼的数量而定，应按以下标准设计，例如：饲养 10 条左右 20 cm 长的鲤鱼，需水面约 10 m²，饲养 30 条需水面 20 m²；饲养 10 条约 45 cm 长的鲤鱼，需水面 40 m²。

饲养观赏鲤鱼的鱼池，其水深至少为 1.2 m，如可能，设计为 1.5 m。为防范猫等动物的侵扰，池边地面与水面的高差应确保在 15 cm 以上。水池的池壁与池底不要有凹凸，应保持平整，以免伤鱼。池壁与池底的颜色应做成黑色，用以衬托鲤鱼的鲜艳多姿。而且，养鱼池必须安装过滤装置，确保水质清洁。池中常残留有鱼粪、鱼饵等垃圾，容易使鱼生病。为了能够迅速清除这些垃圾，应在池底做陡坡，坡度以能将鱼粪汇集在池底鱼巢的深处为宜。而且在池中，如能设置 3 个这样的鱼巢，则更方便清扫池底。

蜻蜓池(群落生境)一般用于调节生态环境，不放养鲤鱼、金鱼。不同的水草生活在不同的水环境中。例如，鸢尾草、蝴蝶花生长在靠近水池的陆地上；玉蝉花、花菖蒲、水芹、芦苇、莎草等生长在水边；燕子花生活在水深 7～8 cm 处；蔗草、茭笋、灯心草长在水深 5～10 cm 处；睡莲所需水深为 30 cm，而它的种子发芽则需 10 cm 水深；莲花、慈姑所需水深为 20 cm 左右；萍蓬草则适合在 1 m 左右深、无暗流的地方生活。还有凤眼兰，它一般漂浮在水面上。

中、大型鱼池，应修筑挡土墙，池底铺垫荒木田土等小田常用的底土。小型池塘一般可利用花盆栽种水草，长成后再植入水中。

水池的设计要点主要是：

(1)首先确定水池的用途，是观赏用、嬉水用，还是养鱼。如为嬉水，其设计水深应在 30 cm 以下，池底作防滑处理，注意安全性。而且，因儿童有可能饮用池中水，因此尽量设置过滤装置。养鱼池，应确保水质，水深在 30～50 cm，并设置越冬用鱼巢。另外，为解决水质问题，除安装过滤装置外，还务必作水除氯处理。

(2)池底处理。如水深 30 cm 的水池，其池底清晰可见，应考虑对池底作相应的艺术处理。浅水也一般可采用与池床相同的饰面处理，或贴锦砖。普通水池常采用水洗豆砾石饰面或嵌砌卵石的处理方法。瓷、砖石料铺砌的池底如无过滤装置，存污后会很醒目。铺砌大卵石虽然耐脏，但不便清扫。各种池底都有其利弊，对游泳池而言，如为使池水显得清澈、洁净，可采用水色涂料或瓷砖装饰池底。如想突出水深，可把池底作深色处理。

(3)确定用水种类(上层水、中层水、地下水、雨水等)以及是否需要循环装置。一般地下水、雨水无需循环，不需安装循环装置。

(4)确认是否需要安装过滤装置。对养护费有限但又需经常进行换水、清扫的小型池，可只安装氧化灭菌装置，基本上可以不再安装过滤装置。但考虑到藻类的生长繁殖会污染水质，还应设法配备过滤装置。

一般常用的过滤装置种类很多，从小型池常用的利用过滤材料的小型过滤器，到高尔夫球场等场所中大规模水池所用的依靠微生物进行过滤的装置。另外，还有抵制藻类繁殖、利用空气进行臭氧无害化处理的方法。

(5)确保循环、过滤装置的场所和空间。

水池应配备泵房或水下泵井。小型池的泵井规模一般为 1.2 m × 1.2 m，井深需 1 m 左右。

(6)设置水下照明。配备水下照明时，为防止损伤照明器具，池水需没过灯具 5 cm 以上。因此，池水总深应保证达 30 cm 以上。另外，水下照明设置应尽量采用低压型。

(7)水景用配管、配线与建筑用管线的连接。首先，在规则设计中应注意瀑布、水池、溪流等水景设施的给排水线与建筑内部设施管线的连接，以及调节阀、配电室(站)、控制开关的设置位置。其次，对确保水位的浮球阀、电磁阀、溢水管、补充水管等配件的设置应避免破坏景观效果。再次，水池的进水出水口应分开设置，以确保水循环均衡。另外，可利用太阳能或风车所产生的动力为给排水提供能源。

(8)水池的防渗漏。水池的池底与池畔应设隔水层。如需在池中种植水草，可在隔水层上覆盖 30~50 cm 厚的覆土再进行种植。

4. 环境小品和标志

1)座椅(长椅、座凳)

座椅的种类很多，有单人座凳、2~3 人用普通长椅(带靠背)、多人用座凳、凭靠式座椅。

从设置方式上划分，除普通平置式、嵌砌式外，还有固定在花坛绿地挡土墙上的坐椅，以绿地挡土墙兼用的坐椅，以及设置在树木周围兼作树木保护设施的围树椅等形式。

此外，市场上还有许多标准化、系列化的成品座椅。座椅的制作材料丰富多彩，除木材、石材、混凝土、各类仿石材料、铸铁、钢材、铁材、铁管、陶瓷、FRP 等外，还有木材与混凝土、木材与铸铁等组合材料。

木材的触感好、质感好、热传导差，基本上不受夏季高温和冬季低温的影响，易于加工，但一般的木材存在耐久性较差的问题。以往，常使用注入防腐剂(CCA 加压注入材料)的桧木制作座椅。现在，更多的是选用无需注入防腐剂且具有耐久性的红杉木等进口材料。

与其他材料相比，石材质地硬，触感冰凉，且夏热、冬凉，不易加工。但其耐久性非常好，因石材耐久性强，可美化景观，石材常被用做修建城市广场。另外，经过雕凿塑造的石凳也常被当做城市景观中的装点。

混凝土材料耐久性强，价格便宜，可根据设置场所的需要进行现浇制作，常被用来制作兼做花坛挡土墙的石凳。一般座面都做花砖饰面或石塑铺面。

金属材料的热传导性强，易受四季气温变化影响。近年来，开始使用以散热快、质感好的抗击打金属、铁丝网等材料加工制作座椅。在意大利，这种座椅随处可见。

陶瓷材料同石材一样，易受四季温差影响，但质感好，具有一种天然土质的温热感。其造型丰富，但体量受限，常用来制作座椅。

FRP 的造型、色彩丰富，可批量生产，价格便宜。但缺点是易褪色，易老化。其常用于制作运动场的座椅。

座椅的设计要点主要是：

(1)普通座椅的尺寸：座面高 38~40 cm，座面宽 40~45 cm。标准长度：单人椅 60 cm

左右，双人椅 120 cm 左右，3 人椅 180 cm 左右。靠背座椅的靠背倾角为 100º~110º。

(2)结构设计要坚固。座板应设 2 块，板厚 3 cm 以上，座板间的缝隙在 2 cm 以下。

(3)应结合环境总体规则来设计座椅的色彩、造型及配置，而且应将座椅设置在无碍人流交通的水平位置。

2)果皮箱、烟灰箱

近年来，随着"垃圾回收"、"垃圾分类收集"、"把垃圾带回家"、"禁烟权"、"吸烟角"等环保措施在社会上的实施推广，不设果皮箱、烟灰箱的场所逐渐增多，特别是在自然园内。而且，为了儿童的健康，很多儿童公园都不放置烟灰箱。

在人群汇集的广场等场所，可将大型果皮箱设置在醒目的位置，在游廊式商业中心等人行道纵横的场所，则多在较为醒目的位置设置小型果皮箱、烟灰箱，以免妨碍步行。但更为重要的是，在设置果皮箱、烟灰箱前应规划好管理回收系统，以真正确保环境卫生、使用方便。

果皮箱、烟灰箱除可作为单纯的备用设施外，还常被塑成某种街道艺术装点。果皮箱、烟灰箱的制作材料种类齐全，有铁材、钢材、木材、石材、混凝土、GRC(玻璃纤维增强塑料)、FRP(玻璃纤维增强混凝土)、陶瓷等。各种成品，无论是在造型上，还是在材质、色彩、规格上，都是丰富多彩的。

果皮箱的设计要点主要是：

(1)普通果皮箱的规格：高 60~80 cm，宽 50~60 cm。放置在车间、公共广场的果皮箱体量较大，一般高度为 90~100 cm。

(2)结构设计应坚固合理。既要保证投、取垃圾方便，又不致垃圾被风吹散。一般带盖果皮箱既可防风又可防止玻璃等危险垃圾危及行人。

(3)上部开门的果皮箱要设置排水孔。

(4)外观设计讲究的果皮箱，可在里侧放置金属篓，既卫生又不失美观。

(5)应选择外观整洁且与周围环境协调的果皮箱。

(6)在公共场所举行大型集会时，通常临时使用大型可移动式果皮箱。

烟灰箱的设计要点主要是：

(1)如果是为站姿而设立的烟灰箱，其高度一般为 70~100 cm；如是为坐姿而设，其高度为 50~70 cm。一般高度在 60 cm 左右者居多，应尽量与果皮箱统一设计高度。

(2)结构设计应坚固结实，尤其盛灰盘应结实牢固。箱体与盛灰盘上都应设计排水孔。

(3)采用耐火材料及方便收取烟灰的构造。

(4)选择美观与功能兼备，且与周围景观协调的产品。

3)花盆

花盆的种类很多，从高宽 20 cm 左右、塑料制成的家庭栽花种草用花盆，到放置在广场、游廊式购物中心等场所种植树木的大型花盆，以及尺寸可调的组装式花盆等。花盆的制作材料也是多种多样，如 FRP、GRC、混凝土、仿石混凝土、陶器、赤陶(素烧陶)、瓷器、砖材、大理石、花岗岩、木材、不锈钢、铸铁等。成品的品种很丰富，无论在尺寸上、色彩上还是造型上。另外，一种在底部没有存水结构可减小浇灌次数的花盆成品现已上市。

花盆的使用要点为：

(1)所选用的花盆应适合所栽种植物的特性及大小。

通常情况下，可按以下标准选择花盆尺寸：花草类，20 cm 以上(盆深)；灌木类，40 cm 以上；中木，45 cm 以上。如盆中使用人工轻质土壤，中木可选 40 cm 以上；3～4 m 的高大树木则可选择 50 cm 以上的花盆，但盆中需安置支柱。

(2)在阳台等场所放置花盆，应注意建筑的荷载能力。

(3)规划设计应考虑花盆的养护问题。

通常，盆栽花草每 1～2 个月需作 1 次换盆养护。因此，预先结合养护进行花盆设计十分重要。另外，选择设计适合环境要求以及交通、清洁、管理要求的花盆也是至关重要的。

4)标志

一般多数标志的设置是以简明提供信息、街道方位、名称等内容为主要目的的。其次是根据地区和用地的总体建设规划，决定其形式、色彩、风格、配置，制作出美观、功能兼备的标志，形成优美环境。

标志有两大类，即诸如导向板、路标、标志牌等传递信息的标志和鸟居、桥、建筑、雕塑、树木等构成城市标志性景观的标志。这些标志传递信息的方式有多种，诸如利用文字、图形(符合)、色彩的视觉传递方式，利用声响的听觉传递方式，利用立体文字的触觉传递方式以及利用香气等气味的嗅觉传递方式。

传递信息类标志的分类如下：

(1)名称标志。标志牌、设施招牌、树木名称牌等。

(2)环境标志。公园导游图、住宅楼号牌、停车场导向板等。

(3)指示标志。方向指示牌等。

(4)警告标志。限速标志、禁止入内标志等。

标志的设置方法有独立式、墙面固定式、地面固定式和悬挂式。

标志的规划设计要点如下：

(1)关于城市标志规划设计，应当在决定配置所有标志图牌前，在全规划过程中，利用不同的建筑造型、色彩、行道树、地面铺装材料，并通过设置纪念性建筑、标志性树木、大门等，使建筑等本身具备一定标志功能。

(2)标志的色彩、造型设计应充分考虑其所在地区、建筑和环境景观的需要。同时，选择符合其功能并醒目的尺寸、形式、色彩。色彩的选择，只要确定了主题色调和图形，将背景颜色统一，通过主题色和背景颜色的变化搭配，突出其功能即可。

(3)传递信息要简明扼要。

(4)配置与设置标志时，所选位置既要醒目，又应无碍于车辆、行人往来通行。

(5)结构应坚固耐用。

(6)类似房屋租赁广告牌一类的标志，其构造要方便改写等管理使用。如设置在行人过往频繁的场所，应选择安全、坚固的标志。

(7)标志所配备的照明有两大类，即照明灯具安装在标志内的内藏式和外部集中照明。外部集中照明方式较适用于有绿化树木的地方。

四、评价方法

通过将各项评级标准的分类进行加权，即若将 M 视为单项满分，则 A 级为 1M 分、B 级为 0.8M 分、C 级为 0.6M 分、D 级为 0 分，然后进行加权计算。计算出总分后再进行综合评价，总分在 90 分以上者评为 A 级，75 分以上者评为 B 级，60 分以上者评为 C 级，60 公以下者评为 D 级。

具体项目的评分标准见表 12-1。

表 12-1　建筑装饰评价体系具体项目的评分标准

评价项目	项目分值	单项指标	单项指标说明	单项指标分值	得分 A	得分 B	得分 C	得分 D
建筑外墙面	30	色调	是否适宜	10				
		质感	是否丰富	10				
		线型	是否合理	10				
门	5	装饰	是否整洁美观并与整体协调统一	5				
柱	5	装饰	是否与整体立面协调	5				
入口雨篷	5	造型	是否厚重有力、坚固耐久	5				
阳台	5	造型	在满足使用功能的前提下，是否考虑了美观	5				
绿化	16	树木	是否与周围环境协调	5				
		绿地	是否做到了统一有序并起到改善环境的作用	6				
		花坛	在表现环境意象、营造气氛上是否得当	5				
儿童游乐设施	14	砂坑	是否满足其设计要点	8				
		滑梯						
		秋千						
		铁棒	是否满足其设计要点	6				
		攀登架						
		跷跷板						
		游戏墙						
水景	10	瀑布	展现形式是否遵循其设计要点并达到了观赏效果	10				
		溪流						
		水池						
环境小品和标志	10	座椅	外形及色彩是否整洁美观并与周围环境相协调	10				
		果皮箱						
		花盆						
		标志						

五、评价原则

综上所述，建筑室外装饰几乎涉及了造型艺术的所有形式，因此在设计中首先应该满足各自的设计创作准则。同时，为了让所有的艺术手段在建筑外立面和外部环境中获得整体的艺术效果，通常必须考虑以下原则。

(一)与"大环境"的协调

建筑室外装饰设计属于环境设计的一个部分。从环境的角度去理解，建筑与其相关的室外空间所构成的室外空间环境只是一个小环境，而这种小环境必定处于某个特定的环境内，而且将这个特定的环境称为"大环境"。这个"大环境"可能是城市的某个片区、某条街道或某个风景区、保护区，甚至可能是山岗、田野。因此，在设计前必须对这种"大环境"的特征、气氛及相关要求作相应的了解，以免在设计中出现"大"、"小"环境间的冲突和不协调。

(二)总体风格上的统一

建筑室外空间环境与建筑的外观、室外小品、陈设、绿化等都有密切的关系，而这些又都与建筑的风格有着直接或间接的关联，所以在设计中应注意力求总体风格的统一。这种统一并不意味着绝对的统一，而是指在一种主导风格的统一下的适当变化。为此，应注意避免因过多的风格运用而造成的无风格或总体关系的混乱。

(三)室外环境应与主体建筑相称

建筑室外环境应在规模、内容等方面保证与主体建筑建立良好的关系。在小型办公楼前留出大片空间或大型剧院前无广场或场地，这样处理就连正常的使用都无法满足或适应，也就更谈不上什么效果了。在室外环境的内容选用上也应注意与主体建筑的一致性。若在纪念性建筑前用上一大型音乐喷泉，在气氛上显然不协调，只会造成主题的削弱。

(四)建筑外部装饰应有助于体现建筑的性格

建筑的性格，是指不同类型建筑所呈现的不同的外部特征。它体现了不同建筑的使用特征，同时也是建筑可识别性的基础。因此，在建筑外部装饰处理上应根据不同的建筑作不同的处理。若将商业建筑外部的富丽、醒目用于居住建筑上，则大大破坏了居住的安宁气氛。可见，并非投资大、用材高档便能获得好的效果，而应把握该建筑的性格特征，做到恰如其分。

(五)避免过多的视觉中心

室外空间环境设计是通过外部环境的处理烘托主体建筑的气氛。在外部环境的处理上，应注意有主有次、重点突出。切忌将各种手法均作重点处理，造成过多的视觉中心点，冲淡主体气氛，同时也应避免出现无趣味中心。

附录：商品住宅性能认定管理办法(试行)

建住房[1999]114 号

第一章 总 则

第一条 为适应社会主义市场经济体制，实行住宅商品化的需要，促进住宅技术进步，提高住宅功能质量，规范商品住宅市场，保障住宅消费者的利益，推行商品住宅性能认定制度，制定本办法。

第二条 本办法所称的商品住宅性能认定，系指商品住宅按照国务院建设行政主管部门发布的商品住宅性能评定办法和标准及统一规定的认定程序，经评审委员会进行技术审查和认定委员会确认，并获得认定证书和认定标志以证明该商品住宅的性能等级。

第三条 本办法适用于新建的商品住宅。

凡列入国家、省级住宅试点(示范)工程的新建住宅小区商品住宅应申请认定。其他商品住宅可申请认定。

第四条 商品住宅性能根据住宅的适用性能、安全性能、耐久性能、环境性能和经济性能划分等级，按照商品住宅性能评定方法和标准由低至高依次划分为"1A(A)"、"2A(AA)"、"3A(AAA)"三级。

第五条 房地产开发企业申请商品住宅性能认定，应具备下列条件：

(一)房地产开发企业经资质审查合格，有资质审批部门颁发的资质等级证书；

(二)住宅的开发建设符合国家的法律、法规和技术、经济政策以及房地产开发建设程序的规定；

(三)住宅的工程质量验收合格，并经建设行政主管部门认可的质量监督机构的核验，具备入住条件。

第六条 凡拟申请商品房住宅性能认定的预售商品住宅，房地产开发企业在预售期房前应在相应的商品住宅性能认定委员会备案，并落实相应的技术措施。

第七条 国务院建设行政主管部门负责指导和管理全国的商品住宅性能认定工作。县级以上地方人民政府建设行政主管部门负责指导和管理本行政区域内的商品住宅性能认定工作。

第二章 组织管理

第八条 商品住宅性能认定工作由各级认定委员会和评审委员会分别组织实施。

第九条 国务院建设行政主管部门指定负责住宅产业化工作的机构组建全国商品住宅性能认定委员会，该认定委员会的职责是：

(一)组织具体实施全国商品住宅性能认定工作；

(二)组织起草全国商品住宅性能认定工作的规章制度、商品住宅性能评定方法和标准；

(三)负责全国统一的商品住宅性能认定证书和认定标志的制作和管理；

(四)组织制造商品住宅性能认定委员会章程和评审委员会章程；

(五)负责组织和管理全国商品住宅性能评审委员会和国家住宅试点(示范)工程的性能认定工作；

(六)负责3A级商品住宅性能认定的复审工作；

(七)对全国商品住宅性能认定管理工作实行监督、检查。

第十条 省、自治区、直辖市人民政府建设行政主管部门指定负责住宅产业化工作的机构组建本地区商品住宅性能认定委员会，该认定委员会的职责是：

(一)负责具体实施本地区的商品住宅性能认定工作；

(二)负责组织起草本地区商品住宅性能认定工作的实施细则；

(三)负责组织和管理本地区商品住宅性能评审委员会和省级试点(示范)工程及其他商品住宅性能认定工作；

(四)对本地区的商品住宅性能认定管理工作实行监督、检查。

第十一条 各级商品住宅性能认定委员会应由有关专业具有高级职称的专家组成。认定委员采用聘任制，由负责住宅产业化工作的相应机构聘任，每届四年，可以连聘连任。

各地方的认定委员会应报全国商品住宅性能认定委员会备案。

第十二条 全国商品住宅性能评审委员会可接受各级认定委员会的委托，承担商品住宅性能的评审工作。各省、自治区、直辖市商品住宅性能评审委员会可接受本地区商品住宅性能认定委员会的委托，承担本地区商品住宅性能评审工作。

第十三条 各级商品住宅性能评审委员会应由具有一定技术条件和技术力量的科学研究院(所)、设计或大专院校等单位申请组建，并经相应的认定委员会按规定审查批准。

第十四条 各级商品住宅性能评审委员会应由有关专业具有高级职称的专家组成。评审委员会采用聘任制。由负责组建的单位聘任，每届四年，可以连聘连任。

第十五条 设区的市或县人民政府建设行政主管部门商品住宅性能认定和评审工作的管理，按照省、自治区、直辖市人民政府建设行政主管部门的规定执行。

第十六条 商品住宅性能检测工作应由取得检测资质的法定检测机构承担，并经全国商品住宅性能认定委员会确认。

对于建设行政主管部门认可的质量监督机构已核验的项目，不做重复检测。

第三章 认定的主要内容

第十七条 商品住宅性能认定应遵循科学、公正、公平和公开的原则。

第十八条 商品住宅性能认定的内容应按照商品住宅性能评定方法和标准确定。其主要内容包括住宅的适用性能、安全性能、耐久性能、环境性能和经济性能。

第十九条 商品住宅的适用性能主要包括下列内容：

(一)平面与空间布置；

(二)设备、设施的配置与性能；

(三)住宅的可改造性；

（四）保温隔热与建筑节能；

（五）隔音与隔振；

（六）采光与照明；

（七）通风换气。

第二十条 商品住宅的安全性能主要包括下列内容：

（一）建筑结构安全；

（二）建筑防火安全；

（三）燃气、电气设施安全；

（四）日常安全与防范措施；

（五）室内空气和供水有毒有害物质的危害性。

第二十一条 商品住宅的耐久性能主要包括下列内容：

（一）结构耐久性；

（二）防水性能；

（三）设备、设施防腐性能；

（四）设备耐久性。

第二十二条 商品住宅的环境性能主要包括下列内容：

（一）用地的合理性；

（二）室外环境；

（三）水资源的合理利用；

（四）生活垃圾的收集和运送。

第二十三条 商品住宅的经济性能主要包括以下两个内容：

（一）住宅的性能成本比；

（二）住宅日常运行耗能指数。

第二十四条 3A级商品性能认定的主要内容应包括住宅的适用性能、安全性能、耐久性能、环境性能和经济性能；2A级、1A级商品住宅性能认定的主要内容应包括住宅的适用性能、安全性能和耐久性能。

第四章 认定程序

第二十五条 房地产开发企业申请商品住宅性能认定之前，要按照商品住宅性能评定方法和标准规定的商品住宅性能检测项目，委托具有资格的商品住宅性能检测单位进行现场测试或检验。

第二十六条 申请商品住宅性能认定应提供下列资料：

（一）商品住宅性能认定申请表；

（二）住宅竣工图及全套技术文件；

（三）原材料、半成品和分成品、设备合格证书及检验报告；

（四）试件等试验检测报告；

（五）隐蔽工程验收记录和分部分项工程质量检查记录；

（六）竣工报告和工程验收单；

(七)商品住宅性能检测项目检测结果单;

(八)认定委员会认为需要提交的其他资料。

第二十七条 商品住宅性能认定工作应分为申请、评审、审批和公布四个阶段,并应符合下列程序:

(一)房地产开发企业应在商品住宅竣工验收后,向相应的商品住宅性能认定委员会提出书面申请。

(二)商品住宅性能认定委员会收到书面申请后,对企业的资格和认定的条件进行审核。对符合条件的交由评审委员会评审。

(三)评审委员会遵照全国统一规定的商品住宅性能评定方法和标准进行评审。在一个月内提出评审结果,并推荐该商品的性能等级,报认定委员会。

(四)认定委员会对评审委员会的审批结果和商品住宅性能等级进行审批,并报相应的建设行政主管部门公布。

3A 级商品住宅性能认定结果,由地方认定委员会审批后报全国认定委员会复审,并报国务院建设行政主管部门公布。

第五章 认定证书和认定标志

第二十八条 经各级建设行政主管部门公布商品住宅性能认定等级之后,由各级认定委员会颁发相应等级的认定证书和认定标志。

第二十九条 经认定的商品住宅应镶贴性能认定标志。

第三十条 商品住宅性能认定证书和认定标志由全国商品住宅性能认定委员会统一制作和管理。

第六章 认定的变更和撤消

第三十一条 申请者对认定结果有异议时,可向上一级认定委员会提出申诉,经核查认定结果确有疑义者,应由原认定委员会重新组织认定。

第三十二条 以假冒手段或其他不正当手段取得认定结果时,一经查出,撤销其认定结果并予以公布。

第七章 附 则

第三十三条 商品住宅性能评定方法和标准另行制定。

第三十四条 本办法由国务院建设行政主管部门负责解释。

第三十五条 本办法自 1999 年 7 月 1 日起试行。

参考文献

[1] 中国建筑科学研究院. 民用建筑节能设计标准(JGJ26—95). 北京：中国建筑工业出版社, 1996

[2] 中国建筑科学研究院. 民用建筑可靠性鉴定标准(GB50292—1999). 北京：中国建筑工业出版社，2001

[3] 国家质量监督检验检疫总局，建设部. 民用建筑工程室内环境污染控制规范(GB50325—2001). 北京：中国计划出版社, 2002

[4] 国家质量监督检验检疫总局，国家环保总局，卫生部. 室内空气质量标准(GB/T 18883—2002). 北京：中国标准出版社，2002

[5] 公安部. 高层民用建筑设计防火规范(GB50045—95). 北京：中国计划出版社，2001

[6] 宋德学. 建筑环境控制学. 南京：东南大学出版社，2003